ブラック・ティー

山本文緒

角川文庫 10565

ブラック・ティー　目次

第一話　ブラック・ティー

東京というのは、実に不思議な街だ。

山手線《やまのてせん》のシートにぼんやり凭《もた》れ、夜の中に浮かぶビルの明かりを見ながら私はそう思った。

そんなことを言うと、とても遠くから上京して来たように聞こえるが、私の出身は千葉県だ。二時間もあれば実家に帰ることができる。

都心の短大に入学した時に、実家を出て部屋を借りた。それから十年近く山手線の円の中に住んでいる。

午後六時。夏であったらまだ西日が残っている時間だ。けれど真冬の午後六時は、煤《すす》けたビルの壁が闇《やみ》の中に消え、広告のネオンがちかちかと光っている。

電車は夕方の通勤ラッシュの最中だった。私は座席に座って、乗客達の顔を見上げた。

スーツを着ている男。スーツでない男。ＯＬ風の女もいる。おばさんもいる。学生もいる。職業不詳、国籍不詳の人もいる。

けれど、皆に共通していることがある。それは電車がぐるりと都心を一周する間に、どこかの駅で降りて行くということだ。

電車の窓に映る私の姿は、どこから見ても〝会社帰りのOL〟だ。セミタイトのスカートにショートコート、肩までの髪をバレッタでまとめている。濃すぎない化粧をし、耳に小さなピアスをつけている。

けれど、私は山手線が一周しても電車を降りない。私は一日最低二周、多くて六周ぐらい山手線に乗る。

それが私の仕事なのだ。

私は真上の網棚を見上げ、男物の革のブリーフケースがあることを確認した。その鞄《かばん》は二時間以上前から私の頭の上にある。持ち主は自分がそれを忘れたことにすら、まだ気がついていないのかもしれない。

電車が渋谷《しぶや》に着くと、両隣の人が立ち上がった。私も一拍遅れて立ち上がる。そして網棚の上のブリーフケースを取ると、それを持って電車を降りた。

大勢の人間が階段の方向へ流れて行く。私もその流れに身を委《ゆだ》ねた。男物の鞄を持ったOL風の女に、不審の目を向ける人間は一人もいなかった。人々の無関心に、私はいつも苦笑いを浮かべる。

駅のトイレの中で、私は先程のブリーフケースを手早く開けた。手が震えたのは最初の

一、二回だけだった。
何かの書類、システム手帳、のど飴《あめ》、文庫本、折り畳み傘、そして財布。ほっとした。忘れ物の鞄の中に、財布が入っている確率は意外と低い。男性の場合、財布はポケットに入れている人が多いのだ。

私は財布を開けて中身を見た。一万円札が三枚と千円札が二枚入っていた。まあまあ、というところだ。

抜き出したお札を自分の財布に入れる。私は現金以外の物には手を触れない。他の物には興味がないからだ。他人がどんな本を読んでいようが手帳に何が書かれていようが、私には関係のないことだ。

私はブリーフケースを持ってトイレを出た。さて、と思う。何よりも緊張するのは、この後だった。

物を盗む時は、人の目というのはあまり気にならない。それが誰のものか分からない状態でさえあれば、当たり前の顔をしている限り、私の物にしてしまっても誰も疑問に思わない。

けれど、物を捨てる姿というのは意外と人の目を引くのだ。紙屑《かみくず》程度の物ならばいい。けれど、たかが漫画雑誌でも、誰かが真新しいものをゴミ箱に投げ捨てると人は振り返る。

まして、革の立派な鞄を人目のある場所に置いて行ったら、道行く人に挙動不審と見られる。以前、お金を抜いた後の鞄を何気なく公衆電話の下に置いて歩きだした時「忘れ物ですよ」と声をかけられ、冷や汗をかいたことがあった。

とにかく、どこでもいいから人目のない所へ置いて行かなければならない。

私がよく利用している捨て場所は、デパートの空《す》いている階のトイレや、雑居ビルの非常階段、ホテルのロビーの隅などだ。けれど、どんなに都合のいい捨て場所があっても、一度捨てた場所には二度と足を運ばない。降りる駅も今日は渋谷だったが、日によってアトランダムに降りている。

私は鞄を持ったまま外に出ると、目に入ったファッションビルに入った。エスカレーターで何階か上がり、空いていそうな階で降りてフロアーを歩いた。

エレベーターのそばに休憩用のベンチがあるのを見つけた。私は下りのボタンを押すと、そこに座って鞄を足元に置いた。

遠くに店員の姿があるだけで、あとは人の姿はない。エレベーターがちりんと音を立てる。開いた扉に私はゆっくりと乗り込んだ。


私は会社に勤めていない。アルバイトもしてない。仕送りも貰《もら》っていない。誰かの部屋に居候をしているわけでもない。

それでも都心のアパートに私は住んでいる。家賃も水道光熱費も払っている。

月に約二十万、私は他人のお金を盗んでいる。二十万円というお金は、一日で手に入る時もあるし、一カ月かけても駄目な時もある。

月の早いうちに目標金額が手に入ると、私はもう山手線に乗らない。アパートの部屋でごろごろして過ごす。夜の十一時に眠り、朝の八時頃起きる。

昼間は図書館や公園へ行く。気が向くとバスに乗ってどこかに行くこともある。名画座で三本立ての映画を観ることもある。

昨年、引っ越しをした時、私は誰にもそれを通知しなかった。それで私はほとんどの友人をなくした。捜そうと思えば捜せるはずなのに、そんな努力をしてまで私に連絡を取りたい人間は一人もいなかったようだ。おかげで交際費がゼロになった。

東京という所は世界一物価が高いと言われているが、見栄や欲を捨てた目で見れば、お金をかけずいくらでも快適に暮らすことができた。

美容院もカットが三千円の店がある。OLだった頃の私はパーマとカットで、月に一万円も美容院に払っていた。

服もフリーマーケットや古着屋へ行けば、いくらでも安くていいものがある。それに会社へ行くのでなければ、服も靴も化粧品もそれほど必要ではない。

生活していく上でのこまごまとした物も、必要最低限の物しか買わなければそうそうお金はかからない。家賃も駅から離れていて、ちょっと古いアパートならばかなり安い物件がある。

いっしょに外食をしたりお酒を飲んだりする相手がいなくなったので、私は自炊をするようになった。それで驚くほど食費がかからなくなった。その上おなかいっぱい食べているにもかかわらず、いつの間にか五キロも体重が落ちた。

そんな生活が、もう一年ほど続いている。

罪の意識はなかった。特に淋《さみ》しくもなかった。ただとても不思議だった。常識さえ捨てれば、働かなくても暮らしていける方法があるのだと、私は不思議に思っていた。

寝る間も惜しんで働いていた頃と同じ街に住んでいるのに、まるで違う国へ越して来たようだった。

鞄《かばん》を無事に手放すと、私は切符を買って山手線に乗った。アパートの最寄り駅は山手線の巣鴨《すがも》である。

まだ電車は混んでいたが、六時頃のようなすし詰め状態ではない。吊《つ》り革につかまってぼんやりしていると、原宿で若い女が大荷物を持って乗り込んで来た。

年は二十三、四歳だろうか。ウェーブがかかった長い髪に、芸能人のような薄い色のサングラスをかけている。背が高く、凝ったデザインのコートを着ていた。モデルか何かのように見えた。

その女性が目立ったのは外見のせいだけでなく、彼女の荷物の多さだった。ハンドバッグを肩にかけ、左手には大きな紙袋をふたつ持っていた。紙袋の中には、赤いリボンがかかった箱が見えた。そして右腕に、大きなバラの花束を抱えていた。

乗客達はちらちらと彼女に目を向けた。彼女は視線に怯《ひる》む様子もなく、網棚に紙袋と花束を無造作に上げた。花びらがひらひらと舞い落ちる。彼女は網棚の下に座っていたサラリーマンに「すみません」と頭を下げた。

私は彼女と背中合わせの位置に立っていた。夜の窓に、彼女の背中とバラの花束が映っている。私は下唇を噛《か》んだ。

巨大なバラの花束は、ブラック・ティーという種類のバラだ。一本千円ぐらいするので、きっとあの花束は二万円以上するだろう。

学校を出て、最初に私が就職したのは大手のレコード会社だった。その業界でブラック・ティーというバラは好まれていた。茶色っぽい赤の、どちらかというと渋いタイプのバラだ。ただの赤や白よりも洒落《しゃれ》た感じがある。

私も誕生日にあのバラを貰ったことがあった。あれはいくつの時だっただろう。まだ二十二歳ぐらいだった。恋人だった年上の男性が贈ってくれたのだ。

複雑な思いを抱えて、私は背後の女と彼女のバラを見つめた。

身なりからして、お金がないわけではなさそうだ。あんな大荷物ならば、タクシーにでも乗ればいいではないか。

私は自分がものすごく苛々《いらいら》していることに気がついた。背中合わせに立っている綺麗《きれい》な女が、訳もなく憎たらしかった。

荷物の多い人間は、忘れ物をする確率が高い。けれど財布が入っているのは、きっと肩からかけたハンドバッグだろう。紙袋だけなら盗んでも仕方ない。

電車が新宿に近づくと、彼女はふたつの紙袋を網棚から下ろした。私はそっと振り向いた。

電車が駅に着く。乗客の半分ほどが降りて行く。彼女は網棚の上のバラを見上げた。手を伸ばして取るのだろうと思っていたら、彼女は目を伏せ、紙袋だけ持って電車を降りて行ってしまった。

「……忘れ物」

私は思わずそう言った。けれど、その言葉はあまりにも小さく、彼女はおろか周りの人間にも聞こえなかったようだ。二、三人の乗客が不思議そうに、彼女が出て行ったドアと網棚に置き去られた花束に視線をやった。

ドアが閉まり電車が走りだすと、何事もなかったように乗客達は無関心になった。バラの花束だけが、そこに残されていた。

私はそれから山手線を二周した。

誰もこの巨大なバラの花束を捜しには来なかった。本当の持ち主を見た人は、もう皆電車を降りてしまっただろう。私の頭の上に花束があるので、誰もがそれは私のものだと思っているはずだ。

時間は夜の十時を回ったところだ。車内にはぽつぽつと空いている座席がある。十一時を過ぎるとまた少し電車が混んでくるので、このバラを持って降りるのなら今だと私は思った。

けれど、私はまだ決心がつかないでいた。

頭の上のバラを、私は顎《あご》を上げて見た。嫌でも数年前の生活が蘇《よみがえ》ってくる。

短大を出て、希望通りのレコード会社に就職した。競争率の高い会社だったので、内定をもらった時は信じられなかった。

仕事は大変なこともあったけれど、楽しいことも多かった。それなりに恋愛もした。何人かの男性と付き合って、ふられたこともあるしこちらから離れていったこともあった。華やかな毎日ではあったが、そう遠くない未来に私も結婚して、子供ができて、会社を辞めて、子育てをして普通のおばさんになるのだろうなと漠然と思っていた。

誰もがそうだったからだ。皆がやっていることは、私もするものだと思っていたし、できるのだと簡単に思っていた。

歯車が狂ったのは、どこからだったろう。そうだ、就職して三年目に五歳年上の先輩に、自分の失敗を押しつけられた。あの時だ。

いつも派手な恰好《かっこう》をした女だった。単純な連絡ミスで、芸能プロダクションを怒らせた。それを彼女は私のせいにした。

会社では誰も私を庇《かば》ってくれなかった。恋人でさえ、犬に嚙《か》まれたと思って忘れなよと言った。そんな些細《ささい》なことだったのに、若かった私は腹立ちまぎれに会社を辞めた。

転職した先は、小さなイベント・プロモーション会社だった。そこが殺人的に忙しく、新しい恋人もできたけれど、会う暇がないうちに彼は別の人と結婚してしまった。

ちょうどその頃だった。私は電車の中で鞄を盗まれた。

失恋のショックで注意力が散漫になっていたのかもしれない。仕事用の鞄を電車の網棚に忘れて降りてしまったのだ。

すぐに気がついて駅員に連絡したが、鞄は見つからなかった。その鞄の中に、取引先に渡す現金が五十万円入っていたのだ。

そのお金を弁償して、私は会社を辞めた。働かないわけにもいかなかったので、また転職をした。けれど、仕事も人間関係もうまくいかず、半年足らずで辞めてしまった。その後はいくつかのアルバイトをしたけれど、何よりも気力が続かなかった。

実家に帰ることも、もちろん考えないではなかった。けれど、実家に行って両親の顔を見ると、何も言いだせなかった。

私は彼らの遅くにできた子供だったので、もう両親は老人と呼ばれる年齢になっている。彼らは私が最初の会社を辞めたことすら知らず、健康を気遣ってくれた。私が一人でちゃんとやっていると思っているのだ。

私が初めて他人の鞄を盗んだのは、最後のアルバイトを辞めた日だった。まるで持って行って下さいとばかりに、その人は私の頭の上に鞄を忘れて行った。

鞄の中には、十万円の現金が入っていた。ああ、これで来月の家賃が払えると思って、私は心底ほっとしたのだ。それがきっかけだった。

何故《なぜ》だろう。私は網棚に載っているバラの花束を見上げてそう思った。

皆と同じようにやってきたつもりだった。古い友人は、もう皆結婚をして子供もいる。私もそうなるはずだった。誕生日や結婚記念日には、こういう花束を愛する人から貰うはずだった。どこでどう間違ってしまったのだろうか。人生はこの花の色なのだと、十代の頃の私は思っていたのに。

以前の生活に、戻ることは可能だろう。

そんなに人から花束を貰いたいのなら、次の駅で降りて、就職情報誌でも買えばいいのだ。そうでなければ、東京駅で総武線《そうぶせん》に乗り換えて実家に帰ればいいのだ。

でも、どうしてもできなかった。私は恐《こわ》かった。

大勢の人間の中で、微妙な駆け引きや恋愛をするのが恐かった。期待して期待して、最後まで一本のバラも貰えないかもしれない人生が恐かった。

もうすぐ私の降りる駅が来る。私はゆっくり立ち上がって、バラの花束を両手で下ろした。ずっしり重い。まわりを見回すと、バラに目を向ける人がいても、私を咎《とが》める目で見る人はいなかった。

ドアが開く。私は電車を降りた。

あの女の人は、どうしてこの花束を置いて行ったのだろう。

駅の階段を下りながら私は考えた。忘れたわけではないのは明白だった。では、わざと置いて行ったのだ。どうして？　こんな高価なものを、どうして置いて行ったのだろう。

「あの、すみません」

その時、後ろから突然声をかけられた。私はびっくりして振り返る。スタジアム・ジャンパーを着た若い男の子が立っていた。

「そのバラ」

そう言われて、からだ中の血が逆流した。この子は一部始終を見ていたのではないかという恐怖が、全身を駆けめぐった。

「失礼ですけど、ちょっと見せてもらっていいですか？」

「どうして？」

内心と裏腹に、意外なほど冷静な声が出た。彼は頭を掻《か》く。

「僕、今日、ある人にそれと同じような花束をあげたんです。それ、ブラック・ティーってバラでしょ？　すごく高かったんだ。でもさっき電車に乗ったら、僕があげたのとそっくりなバラが網棚の上に載ってて、あなたが、その、持って降りたから……」

私は赤ん坊を抱くように、両手でバラを抱いていた。脳が痺《しび》れ、どう答えたらいいかまるで分からなかった。

「あ、カード」

彼ははっと気がつき、手を伸ばしてバラの間から小さなカードを取り出した。葉の陰になって、私はそれが入っていることに気がつかなかった。

カードを広げて見て、彼は私に訝《いぶか》しげな視線を戻した。私は観念して息を吐いた。

「あなたがこれをあげた人って、髪が長くてこうウェーブがかかってる人？　今日は明るいグレーのコートを着てた？」

「あなた、これヒトミさんから貰ったの？」

彼は聞き返す。ヒトミさん、というのが彼女の名前なのだろう。

「違うわ。その人原宿から電車に乗って来て、網棚にこの花を載せたの。それでそのまま新宿で降りて行ったわ。忘れたわけじゃないでしょうね、こんな派手なもの」

私の言葉を聞くと、彼はしばし考える。本当か嘘《うそ》か計りかねているようだ。

「今日はヒトミさんの誕生日だったんだ」

彼は呟《つぶや》くように言った。

「……誕生日に何が欲しいって聞いたら、ブラック・ティーってバラを年の数だけ欲しいって言って」

きっとまだ彼は十代だろう。尖《とが》らせた唇など小学生のようだ。あのモデル風の女性と彼がどんな関係であるかは知らないが、どう見ても〝お似合い〟ではない。

「それ意地悪だったんじゃない」

私は思わず言った。

「きっと迷惑だったのよ。だから本当にあなたが買ってきちゃって困ったのよ。それで電車に置いてっちゃったんじゃない？」

純粋そうなその男の子を見ているうちに、私は何だかむかむか腹が立ったのだ。それでそんなことを言ってしまった。

彼は目を見開いて、私を見た。頬《ほお》が微《かす》かに震えている。もしかしたら殴られるかもしれないと私は思った。

「そうかもしれない」

彼は意外にもしおらしくそう言った。だが、うつむいていた彼が顔を上げた時、その濁りのない目が私を睨《にら》みつけた。

「だからって、それを持っているあなたは何だ？　泥棒じゃないか」

私はバラを抱えたまま、彼の目を見つめた。一月の夜の風が、私のコートの裾《すそ》をめくる。何だか可笑《おか》しくなってきて、私は笑った。怪訝《けげん》そうにその子が眉《まゆ》を顰《しか》める。私は放るようにして、彼に向かってバラを差し出した。

「そうなの、泥棒なの」

彼は慌てて花束を受け止めて、目をぱちくりさせた。私は駅前の派出所を指さす。

「そこの交番に行きましょう。私のこと、訴えてよ」

「……いいよ、別に」

「どうしてよ。訴えてよ」

「変な女」

気味が悪そうに言うと、彼は片手に花束を持ったまま身を翻して駅の階段を上がって行った。私はその背中を見送る。彼の姿が見えなくなっても、私は長い間そこに立っていた。足元には花びらが一枚落ちていた。

やがて私は小さく首を振って歩きだす。

ふと顔を上げると、駅前の派出所から制服姿の警官が出てくるのが見えた。

足が止まる。警官は私の方に向かって真っ直ぐ歩いて来る。丸顔で眼鏡をかけた、人のよさそうな顔だ。

来ないで。私は声に出さず叫んだ。

来ないで。私に声をかけないで。

今、何か言われたら、私はもう駄目かもしれない。お願いだから、黙って通り過ぎて。

「失礼」

警官は軽く頭を下げた。

「もう遅いですから早く帰った方がいいですよ。さっきの男の子と喧嘩《けんか》でもしましたか？」

眼鏡の奥の瞳が、柔らかく細められた。

私は両手で顔を覆った。

「どうしました？」

警官の手が肩にかけられた。泥棒の肩に、お巡りさんの掌が熱かった。

第二話　百年の恋

やはり駅前のパチンコ屋に入っておくべきだった。

僕はだらだら続く坂道を上りながらそう思った。僕は尿意を我慢している。電車を降りた時に、何となくトイレに行きたいなとは思っていたのだ。でも、気持ちよく酔っぱらっていたので、ご機嫌なままパチンコ屋に寄り道をしてちょっくら玉を弾《はじ》き、それからコンビニに寄ったりしていたのだ。

僕の住んでいる部屋から駅までは、行きは十分、帰りは二十分かかる。というのは、僕の部屋は小高い丘の上にあるからだ。行きは長い坂道を走り下り、帰りはその坂をえんやこらと上る。正直言って、サラリーマンを始めたばかりの僕にとって、それは結構つらい日課だった。

けれどまあ、家賃は安い。坂の下と上とでは、二万円以上違うのだ。でも、もし自分一人で住むのなら、二万円払ってでも坂の下に住んだだろう。

その丘の上の、きれいで広くて見晴らしがよくて防音室のあるマンションを見つけてきたのは、同棲《どうせい》している彼女だった。

僕と彼女は同棲して半年目だ。

彼女はピアノの先生で、僕は〝ミュージシャン崩れのサラリーマン〟である。僕は自嘲《じちよう》気味に自分をそう表現することがあるが、本当は崩れてなどいない。バンドは解散してしまったけれど、デモテープは作り続けるつもりだ。借金さえ全部返したら、サラリーマンなどすぐ辞めようと思っている。

彼女は、僕が前に組んでいたバンドの、キーボードをしていた女の子の友達だ。ライヴを見に来てくれたのが出会いだった。

初めて見た時の彼女は、紺のブレザーにグレーのプリーツスカート、足元はかっちりしたローファーという出で立ちだった。ライヴハウスの中で、彼女は目立っていた。何しろモヒカンやらグランジやら、そういう恰好《かつこう》の人々の中にトラッド娘がぽつんと立っていたのだ。

僕は一目で彼女に好感を持った。場違いだったかと最初おどおどしていた瞳が、演奏が始まるとぱっと輝いたのだ。

彼女も僕を気に入ってくれた。何度も会って話をした。音楽の話をし、食べ物の話をし、子供の頃の話をした。僕と彼女は何から何まで違った。同い年なのに、違う星で生まれて育ったようだった。けれど、相性というのは不思議である。お互いがお互いの知らない世界に、会う度に夢中になっていった。

そんな僕達にも、共通点はあった。彼女は小さな子供に音楽を教えるという自分の仕事を愛していて、誇りに思っていた。僕も自分の仕事《おんがく》を愛していたし、誇りに思っていた。違うとすれば、僕の方はお金にならないということだ。

そういうわけで、彼女は常々防音室のある部屋に引っ越したいと思っていた。僕もそうだ。けれど、そういう部屋はえてして高い。でも、二人ならば払えないこともない。

そして二人は恋愛関係にあった。これはもう、レッツゴー同棲である。真面目な彼女はそれでもだいぶ悩んだようだった。でもやはり、自分の家にピアノが置けるという誘惑には勝てなかった。

僕は女の子と暮らすのは初めてだった。もちろん彼女も男と暮らすのなど初めてだ。

悪くない。まったく悪くない。

僕はぶらぶらとコンビニの袋を振りながらにやけた

女の子というのは、本人だけでなく持ち物までいい匂《にお》いがするのだ。歯ブラシもパジャマも手鏡もクマのぬいぐるみも、みんないい匂いがする。

それに何といってもきれい好きなところがいい。流しに汚れた皿が溜《た》まったり、出し忘れたゴミ袋に台所を占領されたり、オーディオに埃《ほこり》が溜まったりしない。天気のいい休日に、青空に洗濯物がひらひら揺れているのを見ると、ああ本当に女の子っていいもんだなあと思う。

こうやって夜遅くに帰って来た時に、自分の部屋に灯《あかり》が点《つ》いているというのも、すごくいい。ドアを開けると「おかえりなさい」なんて言って笑顔で迎えてくれるのがいい。疲れたでしょう、コーヒー飲む？　なんて聞いてくれるのがまたいいんだ、これがね。

僕はそこでやっと坂を上りきった。さすがに息が上がっている。しばしそこに立ち止まり、僕は息を整えた。立ち止まると、尿意がさらに強くなった。

僕はふと、その辺でやってしまおうかと思った。この先はもう上り坂はない。けれど、家まではあと五分ほど歩かなくてはならない。

ちょうどいい具合に、住宅地の中に雑草の繁った空き地があった。そこだけ街灯もなく、暗がりになっている。

僕はここですっきりすることに決めて、その暗がりに向かった。空き地はよく見ると針金が張りめぐらされていて、中に入ることはできなかった。

仕方なく僕は空き地の入口に立った。コンビニの袋をそこにあった柵《さく》にかけ、スラックスのジッパーを下ろした。

「…………」

僕は鼻唄《はなうた》を歌いながら放尿した。そして夜空を見上げる。このあたりは東京といっても端のほうだし、何しろ丘の上だ。冬の星座が、びっくりするほど沢山瞬《またた》いていた。

立ちションの解放感、星々のきらめき、あったかい家で待つ恋人。

「……あー、しあわせ」

思わず呟《つぶや》いた時だった。僕は誰かに肩をポンと叩《たた》かれた。

びっくりして、一瞬おしっこが止まった。振り返るとそこに、彼女の顔があった。

「ああ、なんだよ、驚かすなよ。お巡りさんかと思ったじゃないか」

僕は慌てて放尿を済ませ、自分のものをしまった。コンビニの袋を取り上げると、街灯の下に立っている彼女のところへ行った。

「遅かったじゃないか」

僕は笑ってそう言った。いつもは、彼女のほうがずっと早く帰っているからだ。

「触らないで。汚いわね」

彼女の肩に手をかけようとしたとたん、ぴしゃりと手を叩かれた。

「ああ、悪い悪い」

「信じられない」

「え？」

「信じられないって言ったのよ。何で立ちションなんかするのよ」

彼女が下から僕を睨《にら》みつけている。怒った顔もまた可愛《かわい》かった。

「いや、まあ、そうだな。ちょっと恰好《かっこう》悪かったなあ」

「恰好の問題と違うわよっ」

彼女は大声を出すと、右足をどんと踏み下ろした。

「私、あなたの後を駅からずっと尾《つ》けてたの」

ぷるんと彼女が首を振る。耳につけた小さなハートもぷるんと揺れた。

「声をかけようかと思ったんだけど、あなた、中年のおじさんみたいに酔っぱらってよろよろ歩いてたのよ。すごくみっともなかったんだから」

「そ、そうか？」

「パチンコ屋に入ったでしょう」

眉間《みけん》に皺《しわ》を寄せて彼女が言う。白い息が彼女の顔のまわりにほわほわと浮かんだ。

「もうパチンコしないって約束しなかった？」

そうだったそうだった。先月パチンコで三万円も負けて、もう今年は絶対パチンコをしないって誓ったんだっけ。

「そのあとコンビニに行ったでしょう。そこであなた、何買った？」

「ええと、おにぎりと雑誌を」

「雑誌ね、確かに雑誌だわね」

彼女はビニール袋を取り上げると、中から僕が買った雑誌を取り出した。その表紙をこちらに見せる。赤い唇でにっこり笑う上半身裸の女性だ。今いちばん人気のあるAV女優である。

「どうして、こういう雑誌を買うのよ」

僕の即答に、彼女は絶句した。こめかみがぴくぴく震えている。

「男だから」

「いやらしいわねっ」

「男はみんな、いや、人間はみんないやらしい生き物だよ。そうだろ？　そうでなきゃ人類は滅びちゃうじゃない」

彼女はそれを聞いて、肩で大きく息を吸った。あっと思った時には、そのエロ本で僕は横っつらをひっぱたかれた。

「いってえなあ」

「百年の恋もさめたわ」

「……は？」

「もう嫌いになったって言ったの。今日中に荷物まとめて出て行ってよ！」

家に戻ると、彼女は部屋の真ん中にどすんと座った。コートも脱がず、両手で顔を覆ってしくしく泣いている。僕はヒーターを入れ、コートと上着を脱ぐと台所にお湯を沸かしに行った。

「お茶なんかいいから、早く出て行って」

洟《はな》をすりながら、彼女は僕に言った。

「何をそんなに怒ってんだよ」

僕は隣に座って、彼女の頭を撫《な》でようとした。すると彼女は手を振り払う。

「手を洗ってよ」

「あ、そうか」

僕は流しで手を洗う。背中から彼女が聞いてきた。

「ねえ、あなたもしかして、トイレ行った後いつも手を洗わないの?」

そこにあった布巾《ふきん》で手を拭《ふ》きながら、僕は考える。

「洗う時と洗わない時とある」

「信じられない」

「まあまあ。今度からは洗うようにするから」

「違うわよ。今あなたが手を拭いたのって、食器を拭く布巾よ。それで手を拭くなんて信じられないって言ったの」

僕は布巾を置いて、彼女のそばに戻った。その赤くなった目を覗《のぞ》き込む。

「何よ」

「厭《いや》なことでもあったのか?」

「……別に。どうしてよ」

「変だぞ。今日は何でそんなにカリカリしてるわけ？」

彼女は黙ってティッシュを取った。そして掌であっちへ行けと僕を追い払う。いっしょに暮らし始めて半年もたつというのに、彼女はまだ僕の目の前で鼻をかんだりしないのだ。ちょうどやかんのお湯が沸いたようなので、僕は台所へコーヒーを淹《い》れに行った。彼女はブラックが好きなのだ。ミルクと砂糖をたっぷり入れないと飲めない僕とは違う。

ゆっくりとドリップでコーヒーを淹れると、僕は彼女のお気に入りのペンギン柄のカップにそれを入れて持って行った。彼女はまだコートを着たまま床の上に座っていた。僕が渡したカップを無言で受け取る。

「どうして我慢できないのよ」

ひとくちコーヒーを飲むと、彼女は低くそう言った。

「え？」

「家はすぐそこだったじゃない。どうして立ちションなんかするわけ？　みっともない」

彼女はカップを両手に持って、うつむいたままそう言った。なるほど、よほど恋人の立ちションがショックだったようだ。

「あのねえ、こう言っちゃ何だけど、男にとっては大したことじゃないんだよ」

彼女は反応しない。黙ってコーヒーをすすっている。

「僕だって、君がいっしょの時はしないさ。あ、いや、我慢できそうになかったらするかもな。とにかくさあ、男なら誰だってすることだよ。今日はちょっと酔っぱらってて、すごく気分がよくてさあ。空には星がきらきらしてるし、あーしあわせだなあと思ってさ」

「分からない」

「え?」

「あなたの言ってること、私には全然分からない」

彼女は僕の顔を真っ直ぐ見て、はっきりとそう言った。

「そ、そう?」

突然彼女はすっくと立ち上がった。髪をひるがえし、隣の部屋へ入って行く。僕はこっそり溜《た》め息をついた。そのとたん彼女が戻って来たので、僕は慌てて笑顔をつくる。

「これは何?」

彼女は両手に抱えてきたものを、どさりと床に下ろした。僕の大事なAVビデオと、先程コンビニで買った雑誌の先月号だった。

「それだけじゃないわ。これ見てよ」

彼女は僕に封筒を差し出した。受け取るとそれは電話料金の請求書だった。僕は「やべえ」と思いつつそれを広げる。

「その、Q2って何よ」

僕は仕方なく、顔の前で手を合わせて頭を下げた。

「ごめんなさい」

「ごめんなさいじゃないわよ。どうしてこんなに電話料金がかかるのかと思ったら、あなたが変な電話してたのね」

「いや、まあ、正月に君が田舎に帰っちゃったじゃない。そんとき、ちょっとね。淋《さみ》しかったんだよ。見逃してくれよ」

「信じられない」

彼女はぷいと横を向く。

「私、男の兄弟もいないし、男の人と暮らすの初めてだった」

「それは僕だってそうさ。女の子と暮らすのなんか初めてさ」

僕の言うことなんか無視して、彼女は続ける。

「私、初めてあなたと会った時、すごく清潔感のある人だと思ったのよ」

僕はえへへと笑って頭を掻《か》く。そうなのだ。自慢じゃないが僕は痩《や》せてるし、髪は猫っ毛でサラサラで、目が細いところが〝いい人っぽい〟と言われるのだ。だが、どうも中身は外見に反して淡白ではなくて、女の子を口説いたりするとびっくりされるのだ。

「私が馬鹿だったわ。清潔感があるのと、清潔なのは違うのね」

「ひでー」

さすがに僕は抗議をした。

「ひどいのはあなたでしょう」

彼女はすかさず反論する。

「どうして無駄遣いばっかりするのよ。あなたがいつか音楽で食べていきたいって言ってたのを反対する気はないわよ。私だって応援してるわよ。だから、このマンションをいっしょに借りたんじゃない。高い編集用の機械だって買ったんじゃない。それであなた、早く借金返したいし、私に養われるのが厭だからって、会社勤めを始めたんじゃない。それが何よ」

彼女はそこにあったエロ雑誌を取り上げて、僕に投げつけた。

「散らかしてばっかりで、掃除するのはいつも私じゃない。頭の中は音楽のことじゃなくて、女の子の裸でいっぱいなんじゃゃない」

「そんなことないよ」

「そんなことあるわよ。いい？ あなたがダラダラ無駄遣いをしたり、パチンコをしたり、お酒を飲んだり、そういうことはまだいいの。私が我慢できないのは、あなたのその常識のなさよ。立ちションは軽犯罪なのよ。しちゃあいけないことなのよ。ルール違反なのよ。そんなこと、私の恋人がするなんて厭なのよ」

彼女はそう言い捨てると、また顔を覆ってわーっと泣きだした。僕は伸びてきた顎《あご》の髭《ひげ》を触りながら、彼女が泣くのを見ていた。

十分ぐらいだろうか。彼女はひととおり泣いてしまうと、息をひっくひっくとしゃくりあげながらも僕の顔を見た。

「気が済んだ？」

彼女は頷《うなず》かない。

「とにかくコートを脱ぎなよ」

彼女はのろのろと立ち上がると、ゆっくりとコートを脱ぎだした。その時彼女のポケットからひらりと何かが落ちた。

何気なくその紙切れを拾い上げる。

新宿からの最低区間の切符。自動改札を通った証拠にぽつりと穴が開《あ》いている。

僕がそれを手にしているのに気がついた彼女は、慌てて僕の手から切符をひったくった。

顔が真っ青だ。

「こ、これは……」

彼女は胸の前で両手を握りしめ、恐ろしいものを見るような怯《おび》えた目をした。僕はたっぷり間をおいて聞いた。

「キセル？」

僕の言葉に、彼女の強張《こわば》った顔がみるみるうちに歪《ゆが》んだ。先程よりもっと大きな声で、わーっと泣き崩れる。

「ごめんなさい。ごめんなさい」

「あーあ、泣かなくてもいいって」

「悪気はなかったの。お給料日前でちょっと苦しかったのよー」

「だから、いいって。キセルぐらい誰でもするって」

「もうしません。許して下さい。ごめんなさい」

僕はよしよしと彼女の頭を撫《な》で、泣いている彼女のカーディガンを脱がせてあげた。それから彼女のブラウスのボタンを外し、スカートのジッパーを下げ、ストッキングも脱がせてあげた。まるで娘を風呂《ふろ》に入れる父親のように。

裸にされても、まだ彼女は床に座り込んで泣いている。僕は寝室に行って、彼女がいちばん気に入っているウサギ柄のパジャマを持って来た。

「ほら、手を上げて」

僕は彼女に、ウサギちゃんパジャマを着せた。ボタンを全部止めてあげてから、彼女の手を取ってベッドに連れて行く。

毛布をかけて、僕は彼女の肩をそっと叩いてあげた。

「眠るまで、お歌でも歌ってやろうか」

しゃくりあげながら、彼女は頷く。僕はギターを取って、彼女の好きなミュージカルの曲を歌ってあげた。そのうち彼女はすうすう寝息をたてはじめる。

僕は台所から缶ビールを取って来て、ベッドの脇《わき》に腰掛けた。彼女の寝顔を見ながらプルリングをあける。

「可哀相《かわいそう》になあ」

僕はそう呟《つぶや》いた。

ふたりが付き合いはじめた頃、彼女はよく「あなたって、危なっかしくて放っておけないのよ」と言っていた。母性本能がくすぐられるのだと言っていた。

放っておけないのはどっちだよ、と僕はビールを飲みながら声をたてずに笑う。

君が何故《なぜ》僕を好きになったのか、それに君はまだ気がついていない。

君と僕の百年の恋。運命の恋。

僕は君が鼾《いびき》をかいて歯ぎしりをしたとしても、君を嫌いになったりはしない。

涙で濡《ぬ》れた彼女の頬を、そっと指で拭《ぬぐ》ってあげた。

もう一度ギターを取り上げ、僕は小さく続きを歌った。

私達は純真でもなく、賢くもなく、善良でもないけれど。

できることを精一杯するだけ。ただ精一杯するだけ。

第三話　寿

女にとって本当の絶頂感はベッドの中にはない。それは、大勢の人間の中で主人公になれる時に訪れる。

今日、私は結婚する。

彼からプロポーズされた日からその快感は徐々に盛り上がり、今日最高潮を迎えるのだ。

鏡の中の私は、式場の美容部員達によって花嫁に仕立て上げられていく。白粉《おしろい》を刷毛《はけ》で塗り、紅をさして、綿帽子をかむる。

巨大な鏡に、白無垢《しろむく》姿の私が映っている。

あんまり幸せで、信じられないほど幸せで、思わずくらっときてしまった。

「あ、お嫁様」

介添えのおばさんが、よろけた私にさっと手を差し出した。

「……すみません。大丈夫です」

「あまり緊張なさらないでね。涙はこれで押さえて下さい」

そう言って彼女は、小さなガーゼを着物の胸元に入れてくれた。

介添えさんに手を引いてもらって、私は控室に向かった。赤い絨毯《じゆうたん》の廊下をしずしずと歩くと、通りかかった人が皆私のほうを見た。どこかの子供が「わあ、お嫁さんだ」と声を上げる。私はそれでまた、頭がくらくらしてくる。

私が控室に入ると、式の時間を待っていた親戚《しんせき》達が立ち上がった。口々に、おめでとう、綺麗《きれい》だねと言ってくれた。そして金屛風《きんびようぶ》の前に座っていた、紋付き袴《はかま》姿の彼がにっこり笑った。

「すごく綺麗だよ。びっくりした」

「本当？」

「ああ、ウエディングドレスのほうも楽しみだなあ」

彼のその言葉が嬉《うれ》しくて、本気で涙が出てきた。私は先程渡されたガーゼで目尻《めじり》を押さえた。

両親も目を細めて私を見ている。お父さん、お母さん、いろいろ心配かけたけど、やっと幸せになれそうです、私。

ああ、考えてみれば本当に長い道のりだったと、私はしみじみ瞼《まぶた》を閉じた。

今日から私の夫となる人は、少し年上の会社員だ。会社員だといって馬鹿にしてはいけない。何といっても東大を出ているのだ。東大よ、東大。私は誰も聞いたことがないような短大に滑り込むのがやっとだったから、きっと知能が猿と宇宙人ぐらい違うのだと思う。彼は今、薬品会社で研究員をしている。聞いたけれど、何の研究かは忘れてしまった。そんな人が私にプロポーズをしてくれるなんて、人生一度ぐらい奇跡が起きるものねと私は思った。

婚約が決まってからというもの、私はこの日のために全エネルギーを使った。会社を退職し、お料理教室にもマナー教室にも通った。ちょっと気難しい彼の母親と、新居のマンションも見に行った。エステのブライダルコースにも通った。

完璧《かんぺき》だわ。

私は溢《あふ》れてくる涙を、もう一度拭《ぬぐ》う。

ホテルは一流、相手はエリート、招待客は二百人、お色直しは三回。その結婚式の主役が、この私なのだから。

「お式の時間でございます」

声をかけられて、私は顔を上げた。彼がゆっくり立ち上がり、微笑《ほほえ》んで手を差し伸べてくれた。

今日から私は、この手にすがって生きていく。救われたのだ、私はそう思った。大海原であっぷあっぷと溺《おぼ》れていたところを、大きなクルーザーに乗った王子様が浮輪を投げて救ってくれたのだ。

世界中の神様に、感謝したい気分だった。

式を終えた私の薬指には、プラチナのリングがはまっている。披露宴の会場に行くまでに、私は嬉しくて何度も何度も右手でその指輪に触れた。

披露宴会場の扉の前で、彼と私は並んで立った。係の人がゆっくり扉を開くと、暗い会場の中からスポットライトが飛んできた。

まぶしくて、目がちかちかした。スポットライトの中を、介添えさんに手を引かれ進んで行く。大きな披露宴会場の中を、私は雛壇《ひなだん》に向かって歩いた。大きな拍手。ウエディングマーチ。緊張と興奮で、足元がふらふらした。

何とか雛壇にたどり着くと、音楽がやんだ。私は明るくなった会場を、綿帽子の下からそっと見渡した。

いちばん前の列には、彼の会社の役員や上司達が多いので、知らない顔ばかりだ。でも端のほうに、私が勤めていた会社の人達の顔があった。その後ろに、学生時代の友達や親《しん》戚《せき》達が座っているのが見えた。

彼のほうの招待客があまりにも多くて、バランスを取るのに苦労した。遠い親戚やもうほとんど付き合いのなかった昔の友達にもお願いして、この披露宴に来てもらった。だから何年かぶりに会う人の顔も見える。万障繰り合わせて来てくれて本当にありがとうと私は思った。

会場をざっと見渡してみた後、私はふと違和感を感じた。知った顔を見たような気がしたのだ。そりゃ、自分のほうの招待客は皆知人ではあるのだけれど、どうも引っ掛かる顔があったような気がしたのだ。

私は弱い磁力に引かれるように、ゆっくり首を左に向けた。司会の人が何か喋《しゃべ》っている。仲人さんが紹介されて立ち上がる。

その時だった。

私は後ろにひっくり返りそうになった。隣にいた仲人夫人が慌てて私の背中を押さえる。

「どうしたの？　大丈夫？」

「……あ、はい……」

「気分でも悪くなったの？」

「いえ……あの、緊張しちゃって」

彼女はふっくらと笑い、私の手を優しくさすってくれた。彼が心配そうにこちらを見ている。私は必死で笑顔を作った。

仲人さんが、彼と私の経歴を読み上げているその下で、私は手にしたガーゼを握りしめた。

口の中がからからに渇き、冷たい汗が額に浮かぶ。両足ががくがく震えていた。

会場の左端のテーブル。学生時代の友人達のテーブルに、よく知った顔があったのだ。彼との結婚が決まる前に、付き合っていた男だった。

どうして、そこにいるのだろう。何故私の披露宴に、あいつがいるのだろう。

招《よ》んでない。招んでないわよ。

何でいるのよ。どうして、そこに座ってるのよ。

ああ、何をしに来たのよ！

それからのことは、よく覚えていない。動揺しているのを悟られないように、ただうつむいて固くなっていた。祝辞も何も頭に入らない。

昔の恋人は、遠目に見た感じでは、以前と変わっていないようだった。太ったからだに全然礼服が似合っていなかった。そうだ、彼は何を着せても似合わなかった。テニスウェアはもちろん、スーツもセーターも似合わない。唯一似合っていたのは、バイトで着たサンタクロースの衣装だけだった。

彼は談笑する友人達の中で、無表情に座っていた。視線をこちらに向けようとしないのが、余計恐ろしかった。

お色直しで退場するまでの時間が、気が遠くなりそうに長く感じられた。私は介添えさんに頼んで、いちばん仲のいい友人のチカを呼んでもらった。

ぐるぐる回る頭で、白無垢《しろむく》からウエディングドレスに衣装替えをしていると、チカが更衣室に入って来た。

「チ、チカーっ」

私は思わず彼女に抱きつく。

「どうしたのよ。披露宴の途中で呼ぶなんて」

「三本木君、来てたでしょう」

涙声で訴える私に、チカは金ぴかのドレスの肩をすくめた。

「あんたが招んだんじゃなかったの？」

「招ぶわけないじゃない。どうして招べるのよ。あいつ、勝手に来たのよ」

「そら、大変だ」

チカはしがみつく私を、冷ややかに見下ろしてそう言った。

「どうしたらいいの？　絶対あいつ何かする気だわ」

「何かって？」

「付き合ってた時の写真をばらまくとか、機関銃を乱射するとか、そういうことよー」

美容部員達がびっくりして遠巻きに眺めている。私は床につっぷして、さめざめと泣いた。

クルーザーから、嵐《あらし》の海に突き落とされた気分だった。

私は、あの三本木という男と、十九の時からつい一年前まで、ずっと付き合っていた。

短大生の時、私はある私立大学のテニスやスキーをするサークルに外部から入っていた。私はそのサークルに大好きな先輩がいた。背が高く、いちばんテニスがうまくて、いちばん遊び慣れていた。

十九の私は、きゃあきゃあ言って彼にまとわりついた。そして、あっという間にそいつに食われてしまった。先輩にとって、私みたいな外部のちゃらちゃらした女など、食ってポイが当然だったようだ。

そして傷心の私に手を差し伸べてくれた男がいた。三本木君だ。

彼はもっさりと太っていた。岩石のようなでかい顔に太い眉毛《まゆげ》。がに股《また》の毛深い足。サークルの中で、彼はピテカン三本木と呼ばれていた。真面目で信頼できる性格ということで、会計を任されていた。

失恋で傷ついていた私は、酔っぱらった勢いで三本木君と寝てしまった。彼は優しかった。気取ったところがなく、思ったよりも面白い人だった。これからも付き合ってほしいと言われて、私は頷《うなず》いた。彼が好きだと思った。

けれど、私はピテカン三本木と付き合っていることは、サークルの人達に内緒にした。彼に悪いなとは思いながらも、女の子達に「何か気持ち悪い」と言われている先輩と付き合っているとは、どうしても公表する気になれなかったのだ。そんな私の気持ちを知ってか知らずか、別に言い触らす必要はないもんなと彼も言っていた。

チカにだけは打ち明けていたが、他の人達は私が彼の恋人だったことを知らないので、招待してもいない三本木君が会場にいても、変には思っていないのだ。そういえば式の直前になって、二人ほど急用で披露宴に出席できないと電話があったっけ。そのなかの一人の席にでも座っているのだろう。

「私、三本木君にひどいことしたわ」

私は言った。チカはしゃがんで私を覗《のぞ》き込む。

「そうねえ。したわねえ」

「でも、悪気はなかったのよ」

「まあねえ。そうかもしれないけどさ」

「別れる時、ちゃんと謝ったわ、私」

「謝って済むことならいいけどさあ」

しらっと言うチカを見上げて、私はまたもや泣き崩れた。

三本木君のことを、私は好きだった。三本木君も私を大切にしてくれた。でも、何かがすれ違ってしまったのだ。

短大を出た私は、百貨店に勤めはじめた。ふたつ年上の三本木君も同時に就職したが、土日休みだったため休日が合わなくなった。私はひとりの休日が淋《さみ》しくて、チカや他の友達を誘って遊びに出ることが多くなった。

クラブやバーで知り合う男の人達は、皆女の子の扱いに慣れていて楽しかった。口説くのもうまくて、ホテルに行こうの一言を言うのに丸一日かかる三本木君に比べたら、とても楽だった。浮気をしているという罪悪感さえ、だんだんと薄れていった。

そして好きな男の人ができた。クラブのＤＪをやっていた十歳も年上の人だった。ニューヨークに何年も行っていたという彼は、同じ遊び人でも、他の人とは違って見えた。

仕事が忙しいと言ってなかなか構ってくれない三本木君のことなど忘れ、私は彼に夢中になった。クラブに通い、彼の好きなブラックミュージックを覚え、高価なプレゼントを渡した。

そしてまた、私は食われて捨てられた。ぼろぼろになった私の前に、またもや三本木君が現れ私の手を取った。

結婚してほしいの。

そう言ったのは、私だった。もう何もかも忘れてしまいたかった。引退して、ひっそり平和に暮らしたいと思った。

三本木君は頷いてくれた。けれど、結婚資金を貯めるまで、二年間待ってくれないかと言った。結婚資金なんて親に出してもらえばいいのにと言う私に、彼は頑固に首を振った。

仕方なく私は待つことにした。

デパートはとうに辞めていたので、ぶらぶらしているのも勿体《もったい》ないと、私はとりあえず再就職した。普通の会社の事務だ。今度は彼と休みが合うようにしたかったのだ。大して給料はよくなかったが、のんびりした会社で、私はそこでよくもてた。親父《おやじ》ばかりの会社だったけれど、美人だ美人だとちやほやされるのは楽しかった。

その会社の上司が、お見合いの話を持ってきてくれた。婚約者がいるとは私は誰にも言っていなかったのだ。

釣り書きを見て、私は目玉が飛び出るかと思った。

東大卒どころかご丁寧に大学院まで出ていて、年収は一千万。容姿も三本木君よりは五倍ぐらいマシだった。

一度ぐらいお見合いを経験してみたい、という好奇心もあった。正直なことを言えば、うまくいったら儲《もう》け物とも思っていた。幸い親にはまだ三本木君とのことは話していなかったので、私はその人に会ってみることにした。

お見合いといっても、着物着てホテルで、というような堅苦しいものではなく、単に二人で会って食事でもしましょうという感じだった。

東大出の研究員なんてどんな堅物だろうと思って出掛けたのだが、会って話してみると、思っていたよりずっと感じのいい人だった。ただ、確かに女性の扱いには慣れていないようだ。

緊張している彼をリラックスさせようと、私は馬鹿話をして彼を笑わせた。こんなに笑ったのは久しぶりだと彼は言った。私はその素直な台詞《せりふ》と笑顔に、ちょっと胸が痛んだのを覚えている。

そしてその場でプロポーズされた。お見合いなのだから、考えてみればそれほど驚くことはない。けれど私は心の底からびっくりしたのだ。

さすがの私もうろたえた。私がどんな人間か知らないから、あなたはそんなことが言えるのだと言った。けれど、彼は構わないと首を振った。君は一生、僕を愉快な気分にさせてくれる人だと直感したと彼は言った。

まるまる一カ月、私は悩んだ。後にも先にも、あんなに悩んだことはなかった。普段使わない脳みそを雑巾《ぞうきん》を絞るようにして考えた。

三本木君の仕事はどんどん忙しくなっていき、最近では月に一度会えればいいほうになっていた。私がどうしても会いたいと電話をしても、お願いだからわがままを言わないでくれと言われてしまった。お見合いをした彼からは、毎日のように電話がある。週末にはデートに誘ってくれる。私はどうしたらいいか分からなくて、叫びだしそうだった。

「どうして、三本木君と別れたのよ」

チカがそう聞いてくる。

「だってね、だってね。三本木君ってそばにいてくれそうなのに、結局そばにいてくれないのよ。誠実な人だと思うわ。こんな私を好きでいてくれるなんて感謝してたわ。でも、私淋しかったの。一日でも早く、一時間でも早く、幸せになりたかったの。昔の私を捨てたかったの。新しい私になりたかったのよ」

「あんたが幸せになんか、なれるわけないじゃない」

チカは立ち上がると、私を見下ろしてそう言った。いつにも増して、濃い化粧をしたその目元が微《かす》かに震えている。

「……チカ?」

「あんた、本当にみんなが祝福してるとでも思ってるの?」

彼女の顔と口調がいつもと違った。高校生の時から友達で、同じ短大に行って、いつもいっしょに遊んだ。恋愛相談をし、彼氏との旅行の時はお互いに口裏を合わせた。洋服を買い、ケーキを食べ、失恋したら慰めあった。優しくて明るくて遊び好きなチカ。その彼女が、突然別人のように見えた。

「年賀状一枚よこさないくせに、結婚式に呼ぶなよって言ってんのよ。みんなしぶしぶお祝い包んで来てんのよ」

化粧をした白い顔が、能面のように私を見ている。

「あんたって女は、尻《しり》が軽くて頭がからっぽで、ちょっと男に優しくされるとすぐパンツ脱ぐような女よ。散々痛い目見て、やっと三本木君の良さに気がついたのかと思ったら、突然見合いして、東大男と結婚ですって？」

チカの赤い唇。パーマの髪。ああ、私も彼女のように、どこから見ても〝遊んでいる女〟に見えたことだろう。

「世の中、間違ってるわよ。何でそんなあんたが幸せになれるの？　私のほうがまだあんたよりはマシだったはずよ。どうして私は幸せになれないの？」

最後は涙声だった。顔をそむけた彼女に、私はやっとの思いで言った。

「……チカが連れて来たのね」

彼女は答えず、目に涙を浮かべたまま笑ってみせた。そして何も言わずに部屋を出て行く。

目隠しに置かれた衝立《ついたて》の向こうにチカが消えた時、入れ替わりに誰かが現れた。

今日、私の夫になった人だ。彼の顔は強張《こわば》っていた。何もかも聞いた顔だった。

私と夫は並んで会場の扉の前に立っていた。白いタキシードに着替えた彼はキャンドルを、私は大きなブーケを持っている。もうすぐ扉が開かれて、私達はまた会場の拍手に包まれる。

偽りの拍手。偽りの祝福。そして他人の不幸の上にある自分の幸福。純白のウエディングドレスの下の、汚れた私。

膝《ひざ》の震えが止まらなかった。

人の気持ちを踏みつけ、親しかった友達を失った。有頂天で気がつかなかった。自分のことだけで精一杯で、まわりが見えていなかった。

「別れてくれても、いいんです」

私はうつむいてそう言った。夫は先程からずっと黙ったままだ。

「全部聞いてたんでしょう。チカの言う通りなの。私は尻軽で馬鹿で、あなたに相応《ふさわ》しい人間じゃないの。これからだって、何をするか分からない人間なのよ」

「笑いなよ」

その時、ずっと黙ったきりだった彼が低くそう言った。

「え？」

「扉が開いたら、世界でいちばん幸せだって顔をして笑うんだ。分かったね？」

「……でも」

私は戸惑って彼の顔を見上げた。

「幸せになる人間は、思い切り傲慢《ごうまん》に幸せそうな顔をするもんだ。それが礼儀ってもんじゃないか」

にっこり笑った彼を、私はぽかんとして見つめた。

「私は、間違ってない？」

「間違わない人間はいないよ」

彼が答えたところで、白い扉が大きく左右に開かれた。スポットライトがふたりを射抜く。司会の人の大きな声。割れんばかりの拍手。

左手にブーケ、右手を彼の腕。汗の浮かぶ掌で私はしっかり握りしめた。

もし、自分のしてきたことが自分に返ってくるというのなら、もう何が起こっても構わないと思った。

ウエディングマーチの中を、私は胸を張って足を進めた。明かりの落ちた会場をゆっくり見渡して、私はこれ以上はできないぐらい、傲慢な顔で笑ってみせた。

人々の陰で、三本木君が拍手をするのが見える。私は今日何度目かの強い眩暈《めまい》を感じて目を閉じた。

その代償が大きければ大きいほど、幸福は重く巨大なものなのかもしれない。

幸福だった。死んでしまいたいほど幸福だった。

第四話　ママ・ドント・クライ

「子供が親の金を盗んでも、罪にはならんのだな、これが」

政治経済の授業中、担任教師が余談でそう話を始めた。

「最近うちの娘が、かあちゃんの財布からちょこちょこ千円札を抜いてくんだよ。泥棒みたいな真似すんなって怒鳴りつけたら〝親子の間では罪にならないんだもーん〟なんて言いやがる」

教室の半分ぐらいがクスクス笑った。

「だが厳密には罪にならないってわけじゃない。親子間でも罪は罪だが、刑は免除されるってことなんだ。お前達も、恩を仇《あだ》で返すようなことすんじゃねえぞ」

そこで終業のチャイムが鳴った。おざなりに礼をして、皆はガタガタと帰り支度を始める。私も溜《た》め息まじりにノートを鞄《かばん》に突っ込んだ。

そうか、子供は親のお金を盗んでいいのか。私はそう思いながら、唇を尖《とが》らせる。

では、その逆はどうなのだろう。親にお金を盗まれても、やっぱり泣き寝入りするしかないのだろうか。

「江口。江口未来《みき》」

クラスメート達の嬌声《きょうせい》の向こうで、担任が私の名前を呼んだ。

「掃除当番か、お前」

「違います」

「じゃあ、ちょっと職員室に来いや」

そう言い残して、担任は教室を出て行った。ちょうどやって来た友達の幸子が私の顔を見る。

「ミキが呼ばれるなんて何だろうね」

「……うん」

「待ってようか？」

「いいよ、いいよ。先に帰ってて」

笑顔で言って、私は彼女に手を振った。

担任の話は、やはり私の進路の話だった。この四月で私は高校三年になった。学期の初めに配られた進路調査票を、私は白紙で提出したのだ。

担任との不毛な会話の後、私は暗い気持ちで昇降口へ下りて行った。すると、下駄箱の陰から幸子がひょこっと顔を出した。

「あ、待っててくれたの？」

「んー。なんかミキ、落ち込んでるみたいだったからさ」

「ありがとう。嬉《うれ》しい」

おさげ髪の彼女が照れ笑いをする。私達は肩を並べて校門を出た。

「何の話だったの？」

「やっぱ、進路だった」

「あーねー。やっぱねー」

まだ進路が決められないことを幸子には話してあったので、彼女は納得したように頷《うなず》いた。

「ミキは成績も悪くないんだから、進学すればいいじゃない、私も翠蘭《すいらん》なら推薦もらえるみたいだからさ。未来もそうすれば？」

翠蘭というのは、地元の女子短大だ。うちの学校からは大勢の生徒がそこへ進学する。女子短大が厭《いや》だというわけではない。けれど私は返答に困り、曖昧《あいまい》に笑ってみせた。

「なんかブルーざんすね」

おどけた口調で彼女が聞いてくる。私は足を止めた。

「サッチ、聞いてくれる？」

「うん、聞くよ」

「ママに貯金を盗まれた」

「……え？」

「子供の時からお年玉やお小遣い、遣わないで貯めてた三十万円。ママに盗まれたの」

彼女は目をまんまるくして、私の顔を見つめる。

「本当にお母さんが盗んだの？　まさか、またあれ？　ウメさまにつぎ込んじゃったの？」

私はうつむいたまま顔を上げられなかった。情けなくて情けなくて、自分の靴が涙で滲《にじ》んだ。


不良娘を更生させる方法、あるいは子供を非行に走らせない方法を、現役高校生の私は知っている。親が不良になればいいのだ。子供はそれを見て「ああはなるまい」と心に誓うはずだ。

うちの母親は、相当なものである。私ったら、こんなにも真面目に育ってしまったもの。一見おっとりした平凡なおばさんに見えるだけに質《たち》が悪い。母には家庭のことなど省みず、夢中になっているものがある。それは、ある演歌歌手の〝追っかけ〟をすることだ。

確かあれは、私が中学校に上がる前の年だった。梅ノ木三郎、という名の演歌歌手が、営業でこの町にやって来た。母はほんの暇つぶしで見に行ったはずなのに、ウメさまと恋に落ちて帰って来た。

それからというもの、母は情熱の全てをウメさまに注いでいる。ファンクラブに入会し、CDはもちろんポスターだのカレンダーだのキャラクターグッズ（！）だの買いあさり、隙《ひま》を見ては上京してウメさまの公演に出掛けている。まるで新興宗教にマインドコントロールされたかのようだ。

母は専業主婦であるから、もちろん父が稼いできたお金をそのミーハー活動につぎ込んでいる。父も最初のうちはある程度目をつぶっていたようだが、ここ二年ほど上京が頻繁になっていて、父の小言が増えていた。

決定的に父を怒らせたのは、去年のクリスマスのディナーショーだった。

母はウメさまのディナーショーに毎年行っている。それは恒例であるし、母にとって一年でいちばん楽しみにしていることだ。だから行くこと自体に父は反対していなかった。けれどいつもは、まあ地味にスーツなど着て出掛けていたのに、去年は何とイヴ・サンローランの超高いドレスを父のカードでご購入になったのだ。翌月請求書が来て父はぶっとんだ。ドレスは二十四万円もしたのである。

私も怒った。二十四万円もするドレスを、専業主婦が買うなよ。普段は真面目に主婦業に勤《いそ》しんでいるというのならまだしも、普段の母はウメさまのビデオを見ているか、ファンクラブ仲間と長電話をしているか、ぐーぐー炬燵《こたつ》で昼寝しているかのどれかなのだ。

父は母からカードを取り上げ、お金も一日千円しか渡さなくなった。母の毎日は、三日に一度三千円を持ってスーパーに買い出しに行くだけの日々になった。

ちょっと可哀相だが、自業自得である。新聞に折り込まれているパートの求人紙を見ては、母は炬燵で溜《た》め息をついている。うちのような田舎ではパートの口もそんなにはないし、第一母は働くのが大嫌いなのだ。

だからと言って、娘の貯金を盗んでいい理由にはならない。

私は日曜日だけ近所の農家（！）で野菜の出荷を手伝うアルバイトをしている。重労働なだけに、ファーストフードでバイトするよりは割りがいい。日払いでもらったそのお金を、私は昨日の放課後、郵便局へ入金に行った。そうしたら、通帳の残高がゼロだったので死ぬほどびっくりした。

私は慌てて窓口のお姉さんに詰め寄った。そしたら彼女が言うのだ。午前中にお母様がハンコを持って来て（郵便局員が利用者の顔を全員覚えているほど小さな町なのだ）下ろしていきましたよと。

殺してやる、と怒りに燃えながら、私は家に帰った。しかし母はいなかった。殺してやる、殺してやる、と思って私はずっと玄関で待っていた。

しかし昨夜、母はとうとう帰宅しなかった。父は夜中の二時に酔っぱらって帰って来て、私の話など聞いてくれなかった。

父と喧嘩《けんか》をして、母が一晩帰らないということは以前にも何度かあった。けれど、いつも次の日にはえへへという感じで戻って来ていた。だから今日はきっと帰って来ているだろう。

私は玄関をバンと開けた。靴を脱いで、どかどか家の中に入る。そして、ふと足を止めた。何か様子が変だ。

私は制服で鞄を持ったまま、居間を見渡した。どうも部屋がすっきりした感じだなと思った瞬間、リビングの正面にあったはずのBS内蔵ワイドテレビがないことに気がついた。その横に置いてあったオーディオセットもない。

「……ママ？」

私はリビングを抜けて台所へ行ってみた。シンクの上に置いてあった、買い換えたばかりの電子レンジがなかった。

いやーな予感が押し寄せる。

私は階段をばたばたと駆け上がる。そして二階の飾り窓の所にでんと置いてあった、清《きよ》水《みず》焼の壺《つぼ》がないことに気がついた。父が義理で買わされたという、すごく値の張る壺だ。

私は自分の部屋の扉を開けた。今朝までベッドの脇《わき》に置いてあった、MDプレーヤーがなかった。お正月に思い切って買った最新型のやつ。

「……な、何なの?」

最初は家出かと思った。けれど変だ。家出ならどうして電子レンジや壺が消えているのだろう。

混乱して部屋の中をうろうろしていると、私は机の端っこに置かれた数枚の紙切れを見つけた。

テレビ、電子レンジ、壺、MDデッキ、腕時計、真珠ネックレス……物の名前と値段が書いてある。そして質屋の名前と日付。

こ、これって、まさか、質札?

そして最後の一枚は、ママが走り書きしたメモだった。

——未来、ごめんね。どうしてもウメさまに会いたいの。東京に行きます。

私は置き手紙を読んで、全身の力ががっくり抜けるのを感じた。

父はむすっとして、私が作った御飯を食べている。

「ファンクラブに電話して聞いたら、今日から二週間、ウメさまの舞台があるんだって」

黙ったまま、父は味噌汁《みそしる》をすする。

「ママ、きっと全部見る気だよ。新宿コマってところだって」

お碗《わん》をテーブルに置くと、父は私の顔も見ずに聞いた。

「それでって……迎えに行かないの？」

「放っとけ」

父はそう言って立ち上がる。ごちそうさまも言わない。

「お父さん！」

私の非難の声に、父はゆっくり振り向いた。どろりとした目で父は私を見る。昔からそうだ。父は私のことを、いつもこういう目で見ていた。人の気力を萎《な》えさせるような、冷たい目だ。

「私の貯金は？　ねえ、質に入れちゃった物はどうしたらいいの？　ママのことはどうしたらいいの？」

父は面倒くさそうに、大きく息を吐いた。そして私の手から質札を取り上げる。

「お前の貯金っていくらあったんだ？」

「……三十万ぐらいだけど」

「明日、持って来てやる」

それだけ言い残して、父は台所を出て行った。私は父の食べ残した煮物をじっと見つめ、唇を嚙《か》んだ。

翌日、私は東京にやって来た。

夜中に父の財布からお金とカードを抜き取り、早朝のうちに家を出た。それでも東京駅に着いたのはもう午後だった。

親からお金を盗み学校をさぼって上京なんて、こんな悪事を働いたのは、生まれて初めてだった。自分にこんな思い切ったことができるなんてと、私は感動すら覚えていた。

その新宿コマという所で待っていれば、母を捕まえることができるだろう。私は夕方まで原宿で買い物をすることにした。去年、修学旅行で来た時は時間もお金もあまりなかったので、今日はカードで欲しいものを買いまくってやると思ったのだ。

ところがいざ行ってみると、欲しい物など全然なかった。友達といっしょの時は、あれもこれも欲しかったのに、一人でする買い物はつまらなかった。

時間を持て余してしまって、私はまだ早いと思いながらも新宿へ向かった。道行く人にコマ劇場の場所を聞く。当たり前だが、東京の人は親切に道を教えてくれた。

コマ劇場の前は、ちょっとした広場のようになっていて、人があちこちに腰を下ろしている。私もそこに座って膝《ひざ》を抱えた。

右に左に、大勢の人が歩いて行く。お祭りみたい、と私は思った。田舎者の感想だなあと一人でクスクスと笑う。

隣に黒人の青年が座って煙草をふかしていた。そのココア色の横顔を私は眺める。彼は故郷を捨ててきたのだろうか。そして、一人で暮らしているのだろうか。

三年に進級する時、私は卒業したら東京の大学に入りたいと父に直訴した。けれど、父は鼻で笑った。お前なんか、別に勉強が好きなわけじゃないんだろう。ちゃらちゃら遊びたいだけなんだろう。そんな奴《やつ》に高い学費や下宿代など出せるかと父は言った。あんまりその通りなので、何も言い返せなかった。

私は家を出たくてたまらなかった。あの居心地の悪い家にいるのはもう真っ平だ。いくら学校で楽しく過ごしても、家へ帰ってあの重苦しい空気に包まれると、生きているのが厭《いや》になる。

地元の企業に就職しても、やはり家からは独立できない。父が許しはしないだろう。

私はぶるっと頭を振った。父という人が私には分からなかった。私にも母にも何の興味もないくせに、命令だけはするのだ。それは、私と母が生きていくためのお金を、父が与えてくれているからだろうか。

「未来」という名の私だが、私のそれには暗雲が垂れ籠《こ》めているようだ。どうしても進学したいほど勉強が好きなわけじゃない。無理をして家を出て、ひとりで働いて生きていく勇気もない。私の未来はどこに向かっているのだろう。どっちに向かって歩いていけばいいのだろう。

私は劇場の入口に掲げられた、巨大なウメさまの看板を見上げた。ちょんまげのかつらをかぶったウメさまは、にやりと笑って私を見下ろしている。

まだ開演には時間があるはずなのに、劇場の前にはもう人の列ができている。おばさん達はまるで少女のようにはしゃいでいた。手作りらしい蛍光色のはっぴを着て、ボンボンまで持っている。すごく楽しそうだ。

ママも楽しいんだろうな。私はそう思った。

夢中になれるものが何もない私よりも、もしかしたら母のほうが少しはマシな人間なのでは、とさえ思えてきてしまった。

家にいる時の母は、いつもぐったりしている。私に優しくないわけではないのだけれど、心ここにあらずという感じだ。昔の母はあんなじゃなかった。編み物を教えてくれたり、いっしょに算数の宿題を考えてくれたり、近所の川にも遊びに行った。元気だった頃の母が、私は恋しかった。

それにしても、何故《なぜ》人はそんなに芸能人に夢中になれるのだろうと私は思った。私だって好きなタレントぐらいいる。好きなバンドもある。だけど、際限なく時間やお金をつぎ込んだりはしない。テレビの中の人は、時には私を楽しませてくれるけれど、そばには決していてくれないのだ。テレビを消した瞬間に、結局一人ぼっちにされてしまう。

そこまで考えて、私は気がついた。

ああ、そうか。ママも、一人ぼっちなのだ。

あの父と、長年母はいっしょだったのだ。母は淋しかったんじゃないだろうか。淋しくて淋しくて、我慢できなかったんじゃないだろうか。それでテレビの国のウメさまに恋をした？

その時、視界の中に知った顔があることに気がついた。人込みの向こうに、母がぽかんと口を開けてこちらを見ている。見慣れたパーマの髪に、お気に入りのベージュのスーツ。口紅がいつもより赤かった。

「ママ！」

私は弾《はじ》けるように立ち上がり、母目掛けてダッシュした。母はあたふたと背中を向け、劇場の入口に駆けて行く。

しかし四十二歳と十七歳である。私は入口寸前で母に追いついた。母のハンドバッグをむんずと捕まえる。

「どうして逃げるのよっ」

「未来、ごめんっ。見てからにしてっ」

母は力任せに私を振り切り、会場の中に駆け込んで行った。私の手に、母のハンドバッグが残された。

仕方がないので、私は終演まで劇場の前で待っていた。

ハンドバッグの中身を見たら、一万円札がたっぷり入った財布と、明日のウメさまの公演のチケットが入っていた。

そしてバッグの底から、白紙の離婚届を見つけた。随分前から持っていたらしく、紙の折り目が擦り切れている。私はそれを畳み直し、バッグの底に戻した。

舞台が終わったらしく、顔を紅潮させたおばさま方がぞろぞろと劇場から出て来た。その波の中から、母が叱《しか》られた子供のようなしゅんとした顔で現れた。

「お金、貯金の分は返してもらったよ」

私はそう言いながら、母にバッグを返す。

「ごめんね、未来」

上目遣いに母が私を見る。

「お腹空《す》いたよ。ハンバーガーでいいから食べさせて」

私はマクドナルドの明かりを指して言った。母はこっくり頷《うなず》くと、私と肩を並べて歩きだした。いつの間にか、母の肩は私よりも低いところにあった。

母と私は口もきかずに、もそもそとハンバーガーを食べ、薄いコーヒーをすすった。

「ママ」

私が呼ぶと、母はびくっと肩を震わせた。

「どうするつもりだったのよ。娘の貯金盗んで、テレビだの何だの質屋に入れて、それでこれからどうするつもりだったのよ」

「……お金がなくなったら、帰ろうとは思ってたけど……」

「けど？」

聞き返しても、母はうつむいたまま答えない。

「別れちゃいなよ」

「……え？」

「バッグの中の離婚届、悪いけど見ちゃった」

母は私の顔を、すがるように見た。その捨てられた子犬のような目を見て、私はテーブルをどんと叩《たた》く。突然、決心が固まったのだ。

「私といっしょに、東京へ出てこようよ」

「何言ってるの、未来」

「あんな冷たい馬鹿親父なんかと一生いっしょにいたっていいことあるわけないいじゃない。ママも働きなよ。私も働くから。それで二人で暮らそうよ。全部新しく始めようよ」

母はきょとんと私を見た。その顔が徐々に土砂崩れを起こしていく。気がついたら、母はテーブルにつっぷして、わんわん声をあげて泣きだしていた。店中の人が、遠巻きに私達親子を見ている。すごく恥ずかしかったけれど、私は母が泣き止むのを待った。母の嗚《お》咽《えつ》が収まってくると、私は言った。

「働きなよ、ママ。そしたら、好きなだけウメさまのコンサートに行けるんだよ」

「でも、でも……未来は成績がいいんだから、進学しなきゃ駄目よ。お父さんのところにいれば、学費が出して貰《もら》えるのよ」

「いいんだって。もうあんな奴《やつ》の世話になりたくないよ。勉強なんか、やりたくなったらいつでもできるもん。それより、楽しく暮らしたいよ」

母はぐしゅぐしゅと洟《はな》をすする。そして、ぼそっと口を開いた。

「ねえ、未来」

「んー?」

「どうして、ママがこんなにウメさまのファンになったか分かる?」

私はポテトフライをつまんで、肩をすくめた。

「さあね」

「あのね、握手したから」

「え?」

「男の人が手を握ってくれたの、私、十年ぶりぐらいだったの」

私と母はお互いの顔をじっと見た。先に吹き出したのは母だった。私もつられてぶぶっと吹き出す。

「そ、そんな理由で?」

「そうなのよー。それでお父さんより、好きになっちゃったのよねえ」

「信じらんない。すごいわ、それは」

母と私はおなかを抱えて笑い続けた。また店中の注目を浴びながら。

手なんか、これから私がいくらでも握ってあげる。いつかまた、ママの手を握ってくれる男の人が現れるまでね。

第五話　少女趣味

殴られたのは生まれて初めてだったので、本当にびっくりした。親にだって、ぶたれたことはなかった。友達とも恋人とも、喧嘩《けんか》らしい喧嘩はしたことがなく、地味に平和に生きてきた。

その私が何故《なぜ》、突然殴られたのか、まったく分からなかった。それも、殴ったのは最愛の夫だ。私達は結婚して、まだ一年たっていないのだ。

あれは三カ月ほど前だった。私は仕事場から自宅に戻った。時間は夜の九時を過ぎていたけれど、私にしては早いほうだった。彼はソファに寝ころんで、ぼんやりとテレビに顔を向けていた。

私はなんて言っただろう。ただいま、遅くなってごめんなさい、雨が続くわね、洗濯物が乾かないから乾燥機買おうか。そんなことを言ったかもしれない。私の顔を見た彼は、ゆっくりソファから立ち上がった。そして私のほうへ歩み寄った。

てっきりキスしてくれるのかと思ったら、私はいきなり拳《こぶし》で顔を殴られた。

無防備だった私のからだは、壁際に置いてあったカップボードに突っ込んだ。ものすごい音がした。何が起こったのか、咄嗟《とっさ》には判断できなかった。

彼は呆然《ぼうぜん》としている私を一瞥《いちべつ》すると、そのままドアの外へ出て行った。私は床に尻餅《しりもち》をついたまま、長い時間そこで放心していた。

クリスタルの花瓶が倒れ、床に流れた水の上にチューリップの花が死んだように横たわっていた。結婚のお祝いに貰《もら》ったティーカップも割れた。破片が私の指をざっくり切っていた。

それから三カ月。私は何度殴られただろう。痣《あざ》や腫《は》れが引く頃になると、彼はまた感情を爆発させる。私は殴られる。

私が仕事場に入って行くと、アシスタントの女の子達は、大きく目を見開いた。そして、見てはいけないものを見たような素振りで視線をそらす。

「ユウちゃんとリッちゃん、今日は資料の写真を撮りに行ってもらっていい?」

私が言うと、ふたりは神妙に頷《うなず》いた。

「横浜のランドマークタワーと、そのあたりで新しくできたっぽい建物、撮ってきてくれる?　適当でいいから」

カメラを受け取ると、二人は逃げるようにして仕事場のマンションを出て行った。いちばん古株の女の子と私は二人きりになった。

「先生……また、ですか？」

おたふく風邪にでもかかったような私の顔を、恐る恐る覗《のぞ》き込んで彼女は言った。私は曖昧《あいまい》に笑う。

「差し出がましいですけど、あんまりひどいようなら警察に……」

「ありがとう。でも、いいのよ。この前も言ったけど、家庭の問題だから。みんなには心配かけて悪いけど」

彼女は化粧っけのない顔を、戸惑いがちに横に振った。古株といえども、彼女はまだ二十五にもなっていないのだ。夫に暴力をふるわれているらしい三十三の女に、どう慰めの言葉をかけたらいいかなど分かるはずもない。

「それより仕事しましょ。来週にはカラーの分、渡す約束しちゃったから」

もじもじ立っている彼女を促して、私は昨日の続きに取りかかった。からだ中が痛くて仕方ないのに、ペンを持つと機械的に手が動いた。そんな自分が、かえって情けなかった。

私は漫画家である。デビューした時私はまだ高校生で、それからあっという間に十五年がたった。

私はデビューした出版社と今でも専属契約をしていて、他の出版社との付き合いはない。だから仕事上で会う人は、アシスタントと担当編集者だけだ。彼ら以外の他人に、紫色に腫れ上がった瞼《まぶた》の言い訳をしなくていいのは助かった。

十五年も現役で仕事を続けているが、私は特に大御所というわけではない。いつまでたっても私は中堅扱いだ。

編集者も不思議がるのだが、私の描くものはいつでも〝そこそこ〟売れるのだ。ブームもなかった代わりに、人気がガタ落ちになったこともない。淡々と私は少女漫画を描き続けてきた。長い休みも取ったことがない。月刊誌の連載が終わると、ひと月だけ休みを貰《もら》う。その後また連載が始まり、終わるとひと月休む。そんな調子で、ここまでやってきた。

私が描くものは、ごく普通の学園恋愛ドラマだ。変わった設定でも凝った絵でもない。ローティーンの初恋物語を、私は繰り返し繰り返し描いてきた。登場人物の名前が違うだけで、私は同じことしか描いてこなかったといえる。

少女の恋を描き続ける私の前を、人だけが流れていった。

読者は次々と私の描くものから「卒業」していき、そしてまた次々と新しい読者がファンレターを送ってくる。担当の編集者も、もう何人目だか数えられない。放っておいても問題がないタイプと判断された私には、新人の編集者が担当につけられた。

アシスタントは読者や編集者ほどではないが、それでもそう長くはいてくれない。自分もデビューをするか、普通の仕事に転職するか結婚するかで私の前から去って行く。

十代の終わりから二十代まるまるを、私は漫画を描いて過ごした。ものすごく楽しかったことも、ものすごく悲しかったこともなかった。小さい頃から好きだった漫画を自分で描いて、それで御飯が食べられるのだ。どちらかというと私は幸せだった。仕事自体は、物理的につらいことはあっても、精神的につらいことはほとんどなかった。ネタなどあってないようなものだ。プリントごっこで年賀状を印刷するように、私は作品の数だけをぽいぽいと増やしていった。

私は人から〝漫画のイメージどおりの人〟と言われることが多かった。穏やかで、にこやかで、少し少女趣味で、でもどこか冷めていると。確かにそうかもしれないと私は思った。

男の人とも何人か付き合ったことがあるけれど、いつでも私は恋人との間に一定の距離を置いていた。恋人も好きだけれど、私はそれと同じぐらい、小物のお店や写真集や季節毎《ごと》に変わる花の色が好きだった。仕事の締切は必ず守っていたので、それ以外の時間は、できれば自分の部屋の自分のベッドで、気が済むまで眠っていたかった。そんなふうだから、恋人とも長続きはしなかった。

結婚に対する憧《あこが》れがなかったわけではない。

私は少女漫画を読んで育ち、自分自身もそれを職業にしてきたのだ。恋の成就というのは「結婚」だと、意識の底に刷り込まれているのだと思う。

けれど、現実問題として、私はこの仕事を続けている限り「お嫁さん」になることは不可能だった。毎晩、旦那様《だんな》に夕飯の用意をしたり、家計を管理したり、夫の人間関係に巻き込まれたり、そういうことは自分にはできないと思っていた。

一生このまま、一人きりなのかもしれない。三十歳になった時私はそう思った。ある意味でそれはいいことなのかもしれない。このまま一生、厭《いや》なことや面倒なことに煩わされることもなく、好きな仕事をして、好きなものに囲まれてのんびりと暮らしていく。自己完結した世界で、淡々と生きていく。それは幸福なことなのかもしれない。そう思った。けれど反面、指先がひんやり冷えていくような感覚があった。何もかも、生きていることさえも、それでは意味がないような気がしたのだ。

彼と知り合ったのは、そんなふうに自分の環境や仕事に疑問を持ち始めた矢先だった。今まで私が知り合った男性といえば、業界の人だけだった。しかし彼は、普通のサラリーマンだった。

知人の結婚式で、たまたま隣に座ったのだ。同郷だということが分かり、話が弾んだ。彼は私の仕事に興味を示した。学生の時、僕も漫画研究会に入っていたと言って彼は笑った。

彼は六つも年下だったけれど、私達はあっという間に恋人同士になった。彼は今まで知り合った男の人とは、何もかもが違っていた。とても積極的で、映画や食事に誘ってくれた。締切が近くて会えない時は、彼は子供のように唇を尖《とが》らせた。

ああ、私は煩わされたかったのだ。心からそう思った。クールなふりをして、男の人より花が好きだという顔をして、一人であることの言い訳をし続けてきたのだ。本当は「二人」になりたかったのだ。

仕事場に泊まることも考えた。仕事場にしているマンションも私が買ったものだし、自分用のベッドだって置いてある。けれど、私は結婚をしてから一度も仕事場に泊まったことはなかった。どんなに締切が近く切羽詰まった状態であっても、夜の十一時には一旦《いったん》家に帰るようにしていた。それが礼儀だと思っていたからだ。

住居にしているマンションは、仕事場から歩いて五分ぐらいの所にある。私は夜の道をとぼとぼと家に向かって歩いた。今、こういう状態の時に仕事場に籠城《ろうじょう》するのは、余計彼の機嫌を損ねそうだと思った。

夫の仕事にはあまり残業がなく、お酒も飲まないので、彼は夜の七時か八時には家に戻っている。私もそのくらいの時間にいつも帰れるといいのだが、なかなか難しい。これでも必死で、夜型から昼型へと仕事の時間を変えたのだ。以前は、仕事は夜中にするのが当たり前だった。

今日も彼は、先に家に帰ってきていた。私が「ただいま」と声をかけると、テレビの前のソファから、彼がいつものように振り向いた。今日はその顔に、バツの悪そうな笑顔が張りついていた。

「お帰り。夕飯、食った?」

彼が言う。私は上着を脱ぎながら、そっと頷《うなず》いた。

「軽く食べてきたわ」

「ケーキ、買ってあるんだけど」

「ありがとう。お茶淹《い》れるわ。いっしょに食べましょう」

彼は立ち上がり、「俺《おれ》が淹れてくるよ」と言ってキッチンに向かった。私はその背中を黙って見送る。暴力をふるった次の日は、別人のように優しかった。

彼はイタリアンフルーツ模様のカップにミルクティーを淹れて持って来た。ケーキはミルフィーユ。私の好きなものばかりだ。カップは一度割れてしまったので、同じものを彼が捜して買ってきたのだ。

リビングのソファに並んで座り、私と彼はケーキを食べた。いつの間にかテレビが消されていた。私があまりテレビを好きではないことを彼は知っているのだ。

ふと、彼が私の頬《ほお》に手の甲をあてた。腫れているところに触れられて、私は痛みに声をあげそうになる。

「昨日は、ごめんな」

彼は呟《つぶや》いた。

「俺、最近どうかしてるんだ」

「……もういいわ」

私は彼の手を避けて、首を振った。

「よくないよ」

彼は持っていたフォークを置くと、両腕をまわして私を抱きしめた。私は彼の肩に顔を埋め目を閉じる。このまま時間が止まればいいと思った。

「私、仕事やめてもいいよ」

思わずそう呟いた。自分でもびっくりした。口が勝手に喋《しゃべ》ったのだ。

それを聞いて、彼は腕をほどき私の顔を見た。その目に大きな驚きがあった。

「子供だって欲しいし。あなたのお嫁さんを、私、やりたい」

口が止まらない。私の口がそう言葉を発する。でもそうだ。仕事なんて、私は一度も大事だと思ったことはない。やめてしまえばいい。大切でないことに、大切なものが押しつぶされるのはもう厭だ。

そのとたん、彼は立ち上がった。そしてケーキの皿を取り上げると、力任せに床に叩《たた》きつける。鈍い音がした。

「俺を馬鹿にしてんのか！」

部屋中の空気がびりっと震えた。私は彼の突然の咆哮《ほうこう》に驚く反面、これは隣近所に聞こえたなと気持ちの隅で思った。

「お前が仕事をやめたら、このマンションのローンはどうやって払ってくんだよ。俺の給料でローン払って、そのうえお前を養ったりできると思うか。分かってるくせに、厭味ったらしいんだよっ」

「……だったらマンションなんか売っちゃえば」

全部言い終わる前に、彼が怒鳴り散らす。

「売れるかどうか、分かんねえんだよ。こんな不況でよ。ああ、お前には分からないよ。世の中のことなんか、お前はちっとも分かっちゃいないんだ。乾燥機もマンションも、値段なんか知らないけど、欲しくなったら買えばいい、いらなくなったら売ればいいって思ってんだろうっ」

私はどうしたらいいか分からなくて、ただ彼の顔を見ていた。

「そんな目で見るんじゃねえ!」

怒鳴り声と共に、昨日叩かれて腫れてしまったほうと逆の頬に、強い一撃が飛んできた。

私は目を閉じた。両耳を手でふさぎ、からだを丸めて縮こまる。口の中に血の味がした。

痛いのは最初だけで、あとはもう感覚はなくなる。嵐《あらし》が過ぎていくのを私は待った。

次の朝、私は起きられなかった。ちょっとからだを動かしただけで、あちこちが猛烈に疼《うず》いた。頭がくらくらする。熱もありそうだった。

昨日の夜、彼は暴れるだけ暴れて、どこかへ行ってしまった。それきり戻っていないようだ。

私は仕事場に電話を入れ、今日一日だけ休むことをアシスタントに告げた。そしてベッドの中でもう一度気を失った。

玄関のチャイムが鳴らされたのは、午後の三時過ぎだった。インターホンからは、担当編集者の声がした。

この有り様を見られるのは厭だったが、担当はうすうす気がついているようだったので、私は玄関を開けた。お岩さんのようになった私の顔を見て、担当氏は絶句した。

「アシさんが、君のことすごく心配してたね」

彼はもごもごと言う。私は返答のしようがなくて黙って頷いた。

「どうぞ。入って下さい」

「いや、でも」

「別にかまいませんから。あなただって、そんなつもりで来たんじゃないでしょ？」

無理をして笑顔を見せると、彼も苦笑いをする。私が出したスリッパを彼は履いた。

お茶を淹《い》れてリビングに戻ると、いつも夫が座っているソファに彼は座って、ぽかんと部屋の中を見渡していた。

「どうかしました？」

「いや、すごいなあ」

私の素朴な疑問に、彼のほうが変な顔をした。

「すごいって、何が？」

「君、この部屋すごいって思わない？」

「……ちょっと少女趣味かなって思うけど、別に、すごいとかは思わないわよ」

私の答えに、彼は小さく肩をすくめた。そして私の顔を見る。

「いつからなの？」

「何が？」

「旦那《だんな》さんの暴力だよ。とぼけないで、ちゃんと答えてくれ」

私は彼の顔をじっと見る。彼が私の担当になって三年だ。そろそろ新しい人と交代の時期だろう。彼は国立大学の教育学部を出ていて、きっと順調に出世をしていくタイプだろうと思う。

彼と私は、一度だけ寝たことがある。まだ夫と知り合う前だ。それは、ただの親愛の情の延長だった。確認はしなかったが、彼も私もそれ以上相手に踏み込むつもりはなかったし、実際そうだった。現に、こんなボロボロの状態の時に以前関係があった男性が現れても、私は手ひとつ握ってほしいとは思わなかった。

「三カ月ぐらい前かな」

のんびり答える私に、彼は苛々《いらいら》と足を揺すった。

「その前は、そういう兆候はなかったの？　結婚する前は？　結婚してから旦那さんは変わったのか？」

私は少し考えて頷いた。そうだ。夫は結婚する前、とても私を理解してくれているようだった。もちろん仕事は続けてほしい、家事なんて分担してやればいいと言っていた。私が結構年上で漫画家だということに彼の両親はいい顔をしなかった。それでも彼は私を選んでくれた。

「何かきっかけは？」

私は爪《つめ》を噛《か》む。これといったきっかけが思いつかないのだ。

「乾燥機かしら……」

「え？」

「最初に殴られた時、乾燥機を買おうって言った直後だったの。よっぽど乾燥機が癇《かん》に触ったのかしらね」

私は自嘲《じちょう》気味に笑ってみせる。でも彼は笑わなかった。

「何となく、僕には分かる気がする」

彼は自分の頬を掌でこすってそう言った。

「男っていうのは、女が思っているよりずっと社会的な生き物だよ」

彼が言っていることの意味がまるで分からず、私は首を傾げた。

「少女漫画の編集をして思ったことなんだけどさ。本当に女の子っていうのは、あんなに年中、愛だの恋だのそんなことばっかり考えてるのかね」

「さあ、どうかしら……」

「君が描いてるんだろう?」

彼はくすりと笑う。

「少なくとも、男はそうじゃない。中には女のことばっかり考えてる奴もいるけど、大抵の男は女ほどは好きだの愛してるだの、そうそう考えないよ」

「……ふうん」

「女って奴《やつ》は何故か、愛し合っていれば年の差なんてとか、お金なんかなくてもいいとか思ってるだろう。でも男はそうじゃない。女が考えているのよりずっと、男は見栄《みえ》や世間体ってもんを気にしてるよ。保守的なのは、いつも男だ」

彼が手もつけない紅茶を私はじっと見つめる。

「最初はよくても、こんな部屋にずっと住んでたら、僕でもおかしくなりそうだ」

「こんな部屋?」

私はまたもや聞き返す。

「カントリー調っていうのかい。完璧《かんぺき》じゃないか。ギンガムチェック、ドライフラワー、テディベア、ステンシル」

彼は次々と指さしていく。

「君の作品の世界だ。インテリア雑誌が、きっと最優秀賞をくれるだろう。でも、男の居場所はここにはないよ」

彼はそこで立ち上がる。そして私を目を細めて見下ろした。

「君ができないなら、僕が警察に通報してあげるよ。とにかく、しばらく仕事場にいたほうがいいんじゃないか。その、何というか……」

彼は言葉尻《じり》を濁す。

「連載も始まったばっかりだし？」

彼は仕方なさそうに頷いた。私はちょっと笑ってみせる。

「大丈夫。原稿は落としたりしないから」

「そうだね。君は一度も落としたことがないんだもんな」

編集者の顔に戻って彼は言った。そのつるりとした横顔を、私はどこか同情めいた眼差《まなざ》しで見た。

きっと、あなたは誰にも殴られたことがないんでしょうね。

親にも友達にも恋人にも。

私だって、殴られたことはなかったもの。

いちばん奥の扉まで、踏み込んできてくれる人は誰もいなかったもの。

担当氏が腰を上げ、部屋を出て行った。私は彼がエレベーターを待っている間、玄関のドアのところに立って見ていた。ちょっと彼が振り向いたので、何気なく手を振った。エレベーターの扉が彼を吸い込み、ゆっくり閉じていく。ひとり残された私は、しばらくそのままぼんやりと立っていた。

ひとつ息を吐いて、部屋に戻ろうと踵《きびす》を返した。その時背中から声がした。

「間男は、帰ったようだな」

いつの間にか、夫が立っていた。私は言葉を失った。

私は朝からずっとベッドの中にいたので、パジャマ姿だった。夫はじっと私の顔を見つめている。その目は充血し、どこか焦点が合っていなかった。手に持ったケーキの箱が震えている。

何だか笑ってしまった。

私はもしかしたら、殺されたいのかもしれない。

悲鳴さえも出なかった。

第六話　誘拐犯

ぼくはネコを誘拐した。

あっけないほど簡単だった。そのネコが家から出て来た時、おいでおいでと呼んだのだ。

そしたらネコはやって来た。

ぼくの腕の中で、ネコはごろごろ喉《のど》を鳴らしてまどろんでいる。

ぼくが誘拐犯だとも知らずに。

「カッちゃん。本当にそんなことやるの？」

いつも元気のいいルミが瞳《ひとみ》を曇らせてそう言った。

「やるよ。他に方法を思いつかないんだもん」

「お母さん達にばれたら、大変だよ」

「ばれないって」

ルミの膝《ひざ》には、誘拐してきたネコが乗っている。毛足の長いふかふかの子ネコで、さっきまでミーミーと不安そうな鳴き声をたてていた。ルミが牛乳を買ってきて飲ませ、膝に抱いて撫《な》でてやると、やっとおとなしくなった。

「でも、こんな所に閉じこめたら、かわいそう」

「うちのおねえちゃんのほうが、もっとかわいそうだよ」

ぼくの台詞《せりふ》に、ルミは口をつぐんだ。

拾って来た新聞紙から、ぼくは脅迫状に使う文字を切り抜いていた。思ったよりも手間と時間がかかる。ルミは手伝おうとはせず、赤いスカートの上にじっとネコを抱いたままだ。

「よし、できた」

切り抜いた文字を便箋《びんせん》に貼《は》る作業を終えると、ぼくはそれをルミに差し出した。

「いはらかおりの、いじめをやめないと、ネコのいのちは、ない」

脅迫状をルミはゆっくり読み上げた。ぼくは彼女からネコを受け取り腕に抱いた。

「中学生がこんなの信じるかな」

ルミは不安げに言う。

「だって、こいつのことかわいがってるんだろう。今頃いなくなったのが分かって、慌てるに決まってる」

ぼくがそう言っても、ルミは頷《うなず》かなかった。

「誰にも言うなよな」

全然乗り気でなさそうなルミに、僕は釘《くぎ》を刺した。彼女はしばらく黙った後で、こっくりと頷いた。

おねえちゃんは、ぼくよりふたつ年上で、中学一年生だ。弟のぼくから見ても、かわいい顔をしていると思う。家にいる時は、ぼくのことをぶったり大きな声で喧嘩《けんか》をしたりするくせに、おねえちゃんは学校へ行くと、なぜか急におとなしくなってしまうらしい。

それでも小学校の時は、おねえちゃんは楽しそうに学校へ行っていた。たまに男子にいじめられたりもしたけど、仲良しの女の子がいて、かばってくれていたようだった。

ところが中学校に入って、おねえちゃんは毎日、布団の中で泣くようになった。

ぼくのうちは狭い団地なので、おねえちゃんとぼくは同じ部屋を使っている。二段ベッドの下で、おねえちゃんは毎晩しくしく泣く。ぼくが「どうしたの？」と聞いても、おねえちゃんは何も言ってくれない。

ぼくのお父さんとお母さんは二人とも働いていて、あまりぼく達にかまってくれない。おねえちゃんが毎晩泣いていることも、お母さんは気がついていなかった。

ぼくはお母さんに、おねえちゃんの様子がおかしいことを話そうかどうしようか迷った。というのは、うちのお母さんはすごく元気がいい人で、ぼくやおねえちゃんが友達と喧嘩して帰って来ると「そんな弱気でどうするの。泣かされたら泣かし返しなさい」って言うような人なのだ。ぼくは男だからいいけど、おねえちゃんはハッパをかけられると余計落ち込んでしまうタイプなのだ。お母さんにはそれが分からない。

ぼくはお母さんに相談する前に、悪いとは思いながらもおねえちゃんの日記を盗み読みした。鍵《かぎ》のついた立派な日記帳だけれど、その鍵をおねえちゃんはカンガルーのぬいぐるみのポケットにしまっているのを、ぼくは知っていたのだ。

おねえちゃんは学校で〝いじめ〟にあっていた。

どうしてクラス中の女の子から無視されるのか分からない、とおねえちゃんの日記には書かれていた。覚えがあるとすれば、サッカー部の二年生からラブレターをもらったことだけだ、どうしたらいいか分からなかったから隣の席の女の子に相談した、それが何かいけなかったようだと書かれていた。

ぼくにも、どうしてそんなことでおねえちゃんがクラス中から無視されなければならないか、よく分からなかった。

でも、おねえちゃんのような、顔がかわいくてちょっと気弱そうな女の子をいじめてみたいとみんなが思う気持ちは、ほんの少しだけ分かる気がした。ぼくのクラスでも、いちばんかわいい女の子は、女子にあんまり人気がない。二番目にかわいくて、男みたいに元気がある子のほうが、みんなの人気者になっている。

おねえちゃんは、ぼくが寝たのを見計らって机に向かい日記を書いている。ぼくは寝たふりをして、二段ベッドの上からおねえちゃんのパジャマの背中を見る。おねえちゃんの日記は、日増しに長くなっていった。夜中まで机に向かい、おねえちゃんは今日学校であったことを日記に書きつける。まるで「証拠」を残すみたいに。日記を書き終えると、おねえちゃんはやっと布団に入る。しくしくと泣き声が聞こえ、おねえちゃんは泣きつかれて眠る。それでやっと、ぼくも眠ることができるのだ。おねえちゃんも寝不足だろうけど、ぼくだって朝起きるのがつらくてしょうがない。

ぼくは五年生だから、中学生のおねえちゃんよりは少し早く学校から帰って来る。誰もいない家の中で、ゆうべおねえちゃんが書いた日記を読むのがぼくの日課になっていた。おねえちゃんは、何度か学校に行くふりをして家に帰って来ていたようだ。けれど、続けて休めば先生からお母さんに電話がいく。それが怖《こわ》くて、おねえちゃんは暗い気持ちをひきずって学校へ行っていた。

小学校の時におねえちゃんと仲良しだった友達は、中学に入る前にすごく遠くへ引っ越してしまったので、おねえちゃんには頼れる人が一人もいないのだ。

日記を読むのはつらかった。おねえちゃんは、いっしょにお弁当を食べてくれる人が誰もいなくて、屋上に上がって一人でお弁当を食べている。だから雨の日は気が重い。屋上に一人でいるのは平気だけど、みんなが楽しくしゃべっている教室の中で、ぽつんと一人でご飯を食べるのは本当に悲しいと書いてあった。

どうしたらいいか、ぼくには分からなかった。お母さんに相談したほうがいいんじゃないかと本気で思った。だけど、お母さんには子供の事情というものが分からないだろう。告げ口したなんてことがばれたら、おねえちゃんはもっとひどいめに遭うかもしれないのだ。

でも先週、ぼくが心配していたことが本当になった。

いじめがだんだんエスカレートしていき、おねえちゃんは暴力をふるわれるようになった。二本垂らしたおさげの、片一方だけ切られておねえちゃんは泣きながら家に帰って来た。お母さんは、さすがにおねえちゃんが学校でいじめられていることに気がついた。

おねえちゃんは、いくらお母さんが強く聞いても、誰が髪を切ったか決して口に出さなかった。業《ごう》を煮やしたお母さんは、翌日学校の先生に電話をした。

ぼくは、それをはらはらして見ていた。やめたほうがいいよともお母さんに言った。けれど聞いてはもらえなかった。お母さんはさらに学校に乗り込んで行き、先生を怒鳴りつけたらしい。でも、大学を出たばっかりの担任の先生は、ホームルームで「みんな仲よくするように」と馬鹿みたいな注意をしただけだったようだ。

そして、お母さんがよかれと思ってやったことは、案の定、事態をさらに悪化させた。おねえちゃんをいじめているグループは、毎日のようにおねえちゃんを呼び出し、服で隠れる部分を殴ったり蹴《け》ったりするようになった。バケツの水をかけられたり、煙草の火を押しつけられたこともあった。

おねえちゃんの日記には、その日何をされたか克明に書かれていた。そしてとうとう「死にたい」という文字をぼくは日記に見つけた。

ぼくは奥歯をぎゅっと嚙《か》みしめた。お母さんも先生も、大人なんて全然何も分かっちゃいない。頼りになんかならないのだ。

ぼくはおねえちゃんを助けたかった。ぼくとおねえちゃんは、すごく仲良しというわけではない。こんなことでもなければ、ぼくはおねえちゃんのことなんか、そんなに考えなかったと思う。

でも、このままではおねえちゃんが殺される。ぼくは決心した。ぼくがおねえちゃんを助けようと。おねえちゃんが本気で「死にたい」と思っていることは、ぼくしか知らないのだから。

おねえちゃんの日記に、いちばん頻繁に出てくる名前。小田切紀子という、クラスでいちばんいばっている女をこらしめようと、ぼくは決めたのだ。

ぼくはおねえちゃんの机から、学校の名簿を探して小田切紀子の住所を調べた。そいつの家は思ったよりも近くにあった。ぼくは学校の帰り、敵情視察に紀子の家まで行ってみた。

小田切紀子の家は、大きかった。そいつの家がお金持ちっぽかったのが、余計ぼくは腹立たしかった。

「カッちゃんっ」

突然後ろから声をかけられて、僕はびっくりして振り返った。そこには同じクラスのルミが、目を丸くして立っていた。例の、クラスで二番目に顔がかわいい人気のある女の子だ。

「何でこんな所にいるの?」

「お前こそ何してんだよ」

「あたしの家、そこだもん。カッちゃんこそ何してるのよ」

ルミが指さしたのは、小田切紀子の隣の家だった。

「お前んち、ここなの?」

「そうよ。悪い?」

ぼくはちょっと考えた。ルミは少し気が強いけど、性格のいい奴《やつ》だ。何か協力してくれるかもしれない。

「隣の小田切ってうちとお前のうち、仲いい?」

「何でそんなこと聞くのよ。小田切さんに用事?」

手に持った赤い鞄《かばん》を振り回し、ルミは肩をすくめる。

「違うよ。中学生の女がいるだろ？　どういう奴？」

それを聞いてルミは露骨に顔をしかめた。

「小田切さんって、去年越して来たばっかりだから、お母さん達もあんまりつきあいはないみたいだよ。中学生の子がいるけど、なーんかツンツンしてて、あたしもほとんどしゃべったことない」

ルミは隣の家にあまりいい感じを持っていないようだった。その時、背中でミーという小さな鳴き声が聞こえた。見ると、白い子ネコが垣根の中から顔を覗《のぞ》かせていた。そのへんにいる日本ネコではなく、デパートで売っているような外国のネコだった。指でひょいと摑《つか》めそうなほど小さい。

「あれ、小田切さんちのネコよ。その中学生の子が誕生日に買ってもらったんだって、お母さんが言ってた」

ルミがそう言う。ぼくは無意識に「おいでおいで」とネコを呼んだ。人なつっこいそのネコを抱き上げたとたん、ぼくはこの計画を思いついたのだ。

ぼくが通っている小学校の裏手には広いキャベツ畑があって、その隅に小さな納屋がある。鍵《かぎ》はかかっていないし、中も古い鍬《くわ》やバケツが置いてあるだけで、ほとんど使われている様子がない。ぼくはネコをそこに隠すことにした。ネコの首輪にビニールの紐《ひも》をつけ柱に結びつけた。そして昨日「脅迫状」を小田切家のポストに入れてきた。ルミの言うとおり、こんなところに子ネコを監禁するのはかわいそうだったけど、「これもご主人さまの行いが悪いからだぞ」とぼくはネコに言い聞かせた。

もちろん、おねえちゃんがいじめられなくなったら、すぐにネコは返すつもりだ。放課後、ぼくがネコ用の缶詰を買って納屋に行くと、ルミが先に来てネコの頭を撫《な》でていた。

「ほら、ご飯だぞ」

ぼくは缶詰と、カレイの煮物の入ったタッパーを鞄から出した。

「どうしたの、その魚」

「缶切りを取りに家に寄ったら、お鍋《なべ》の中にあったんだ。たぶん今晩のおかずなんだろうけど、ネコって魚が好きなんだろう。かわいそうだから、せめておいしいもん食べさせてやろうと思って」

ルミはぼくの言葉に「ふうん」と呟《つぶや》いた。ぼくは煮魚がきらいだ。このにおいがいやなのだ。本当はぼくが食べたくないから持って来たのだけれど、ネコはそれが気に入ったらしく、ぺろりと平らげた。

「よしよし、おいしいか」

ぼくはネコの頭を撫でてそう言った。ネコはぼくの手に額を押しつけて甘えてくる。ぼくはずっと団地に住んでいたから、ネコもイヌも飼ったことがなかった。ネコってかわいいなとぼくは思った。

小田切紀子も、このネコをかわいがっているのだろう。ネコの頭を撫でた手で、どうして人間のことは叩《たた》いたりするのだろうか。ぼくにはよく分からなかった。

しかし、この計画は案外うまくいくんじゃないかとぼくは考えていた。いくら何でも、かわいがっているネコが誘拐されたのだ。いじめっ子のボスでも、きっと言うことをきくだろう。

しかしぼくは甘かった。

その日、おねえちゃんはまた真っ赤に目を泣きはらして帰って来た。お母さんが何を聞いても首を振るだけだ。

おねえちゃんは、ご飯なんかいらないと言って布団に入ってしまった。ぼくは学校で何があったのかと、おねえちゃんを問いただした。だけどおねえちゃんはしくしく泣くだけだ。そして、泣きながら呟いた。「ネコなんか知らない」と。ぼくは青くなった。

「勝也。あんたもご飯食べないの?」

ドアの外からお母さんが呼ぶ。ぼくは呼ばれるまま、ふらふらと台所へ出て行った。

なんてことだ。小田切紀子は、おねえちゃんがネコを隠したと思っているのだろうか。

どこまで根性の悪い奴なんだろう。

頭の中がぐるぐる回る。ぼくは、どうしたらいいかを必死に考えた。とにかく、この計画は失敗だ。すぐにでもネコを返したほうがいいだろう。そうしないと、おねえちゃんがもっとひどいめに遭わされる。

「ぼんやりしてないで、早く食べなさい」

お母さんに言われて、ぼくは顔を上げた。

「まったく、かおりといい、あんたといい、あんまり親に心配かけないでちょうだいよ」

お母さんはぶつぶつと文句を言う。ぼくはテーブルの上の夕飯が、コロッケだということに気がついた。ネコに持っていった魚の煮物は一匹で、まだ鍋の中に余っていたのに。

「今日、お魚じゃないの？」

「え？」

「あのお鍋の中にあったじゃない」

ぼくはレンジの上の鍋を指さした。

「ああ、あれは先週煮たやつよ。もう悪くなってるから捨てなきゃ」

それを聞いて、ぼくは立ち上がった。

「悪く、なってるの？」

「勝也、まさか食べたの？　だってひどいにおいよ。どうして気がつかないの」

「腐ったもんをいつまでも取っとくなよ！」

ぼくは大きな声を出した。お母さんの驚いた顔を後にして、ぼくは家を飛びだした。

慌てて駆けつけた納屋の中は、しんと静かだった。納屋の扉から、月の光が射《さ》しこんでいる。薄闇《うすやみ》の中に、ネコは横たわっていた。口からよだれを流し、そっと触れると冷たくなっていた。ぼくは長いこと、動けなかった。膝が震え、からだ中がこわばった。

カタンと後ろで音がして、ぼくは飛び上がった。扉の所に人のシルエットがあった。ルミだった。

「カッちゃん？」

ルミはそっと扉の中に入って来る。

「カッちゃんも心配になって来たの？　あたしも何だか気になっちゃって」

そこまで言ってルミは口をつぐんだ。ネコの死体を見つけたのだ。ルミは両手で口許《くちもと》を覆うと、ぶるぶると肩を震わせた。

「カッちゃんが殺したの？」

ルミは早口でそう言った。

「違う！　魚だよ、あれが腐ってて」

「ひどい！　殺しちゃうなんて、信じられない！」

「待てよ！」

「殺しちゃうなんて!」

ルミはぼくが止めるのも聞かず、納屋の外に飛びだして行った。ぼくは呆然《ぼうぜん》とそこにっ立っていた。っ立っていた。

ぼくは一晩中、かちかちに固くなってしまったネコの横で膝を抱え、これからのことを考えた。ルミの誤解を解いたところで事実は変わらない。ネコを殺したのはぼくだった。夜が明けると、ぼくはその辺からダンボール箱を見つけてきて、ネコの死体を入れた。それを持って納屋を出た。

ぼくは小田切紀子の家に行った。新聞配達の人が、ぼくの顔とダンボール箱を不思議そうに眺めていった。

ぼくはチャイムを押す。しばらく待っていると、寝巻姿の母親らしい人が玄関を開けた。ぼくは黙ってそのおばさんにダンボール箱を渡した。おばさんは驚いた顔で箱を開けてみる。そして悲鳴を上げた。

父親らしいおじさん、そして小田切紀子が玄関にやって来る。ネコの死体を見て、紀子は「ミイちゃん!」と叫んだ。

彼らは黙って立っているぼくを見た。ぼくが何か言うのを待っているのだ。ぼくは紀子の顔を見た。そして、何度も心の中で練習した答えを口にした。

「お前が言うことをきかないから、殺したんだよ」

ヒステリーを起こした小田切紀子とその母親は、ぼくを警察に連れて行くと大騒ぎをした。あまりの騒ぎに、近所の人達が何事だと顔を出すほどだった。

交番に連れて行かれると、彼女達は「この子がうちのネコを殺した」とお巡りさんに訴えた。

交番にはぼくが行方不明になったとお母さんから届けが出ていて、ぼくの身元はあっさり割れた。お巡りさんが猫なで声でぼくに事情を聞いたけれど、ぼくは何も言わなかった。しばらくすると、お母さんとおねえちゃんが交番に駆けつけてきた。おねえちゃんは、つかつか歩いてきたかと思うと、ぼくの頬《ほお》を力いっぱい叩いた。

「なんてこと、してくれたのよ！」

おねえちゃんは両目から涙をぼろぼろとこぼし、そう怒鳴った。そのおねえちゃんに今度は紀子が「ミイを返せ」とくってかかる。それをお巡りさんと母親二人が慌てて止めた。そうしている間に、今度は母親同士の言い合いがはじまった。あんたの娘がうちの娘をいじめてたんですって。うちのネコを殺しておいて何を言うの。末恐ろしい子供だわ。ミイを返してよ。かおり、あんた許さないからね。まあまあみなさん、落ちついて下さい。

ぼくはみんなが大騒ぎしているのを、交番のスチール椅子《い す》に座ってぼんやり見ていた。

早く、少年院にでも何にでも送ってほしかった。誰の顔ももう見たくはなかった。

「あの、すみません」

突然のその声に、全員が一瞬口をつぐんだ。視線は交番の入口に注がれる。

母親らしきおばさんに手を引かれて、ルミが立っていた。ルミの目は真っ赤で、ぐったり疲れた顔をしている。

「この子が、小田切さんに何か伝えたいことがあるそうなのです」

ルミの母親は、静かにそう言った。そしてルミの背中をとんと押す。一歩前に出たルミは、皆の視線を集めて今にも泣きだしそうな顔をした。ひっく、と大きく息をのむ。そしてぼくを指さした。昨日の夜、ルミが叫んだ言葉が頭の中にエコーした。

「カッちゃんは、悪くないの」

絞り出すようにルミは言った。

「カッちゃんは悪くない。悪くないの」

今度は大きな声でそう言った。みんながぼくを見る。ぼくは椅子に座ったまま、うつむいた。

そうだろうか。本当にぼくは悪くないのだろうか。でも、ネコを殺したのは、やはりぼくなのだ。

許してなどほしくない。分かってなどほしくない。

こらえていた涙が、半ズボンから出た膝にぽつんと落ちていった。

第七話　夏風邪

女に生まれてきたことを、後悔するような女にだけはなりたくないと思っていた。実際私は女性に生まれてきたことを幸運だと思ってきたし、女性であることで損をしたという経験も特になかった。

女であることが嬉《うれ》しかった。

何故《なぜ》ならば、あなたに抱いてもらえるから。

私のものとはまったく違う、あなたの骨張った腕。大きな素足。切りそろえられた爪《つめ》。眠った時の罪のない睫毛《まつげ》。夕方になるとざらついてくる頬《ほお》や顎《あご》や、まだ若いのにちらほら混ざる白髪や、眼鏡の奥の意地悪そうな吊《つ》り眼を、私は心から愛していた。

あなたが男の人だから、私は女であることが誇りに思えた。あなたが持っていない丸い胸の膨らみや細い手首や、あなたを受け入れることができる性器を持っていることが、私は誇らしかった。

私にはあなたが、本当にすべてだった。馬鹿みたいに、すべてだったのだ。

「風邪？」

さっきから何度も鼻をかんでいる私に、澄子がそう聞いてきた。

「うん、冷房病。夏になると、膝掛《ひざか》けとカーディガンがいるのよ。うちの会社は」

「目のあたりも腫《は》れぼったいよ。熱は？」

「ないと思う。ありがとう」

「働き過ぎなんじゃないの。そんなに頑張ったって、会社は何もしてくれないわよ」

澄子の口調は、いつの間にか母親のそれだった。弱い者を包み込む慈愛に満ちたその眼《まな》差《ざ》しと、人に有無を言わせないきっぱりした口調。

「翔太君は？」

「友達の家に遊びに行ってるわ。翔太も風邪っぽくてね。家にいなさいって言ったんだけど、最近反抗期で言うこときかないのよ」

私は適当に相槌《あいづち》を打って、彼女が淹《い》れてくれたコーヒーに口をつけた。澄子は私の言葉を信じたようだ。本当は風邪などひいていない。瞼《まぶた》が腫れ、鼻がぐずっているのは、ここのところ毎晩泣いているからだ。

「旦那《だんな》様はゴルフだっけ」

「うん。ゴルフもねえ、お付き合いだから仕方ないにしても、一回行けば三万ぐらいかかるわけじゃない。一日に三万円も遊びに遣うなんていい気なものよ。私なんか、もう一年以上自分の洋服買ってないのに」

「そうなの」

そこで話が途切れた。別にどちらかの言葉に刺《とげ》があったわけでもないのに、ぎくしゃくした空気が流れた。

私と澄子は幼なじみで、どんなに環境が変わってもお互い連絡を取り続けてきた。それが苦ではなかった。私は澄子ほど信頼できる友人には今までめぐり会えなかったし、澄子のほうもそう思っていてくれると思う。

だから私は、澄子のマンションを少なくとも半年に一度ぐらいは、こうして訪ねることにしているのだ。

澄子は高校を卒業してから女子大の英文科に進み、中学校の英語の先生になった。私は特に目的もないまま私立大学の経済学部を出て、中堅の証券会社に就職した。

彼女は教師になったとたん、その学校の先生と結婚することになり、あっという間に仕事を辞めた。子育てが一段落ついたら、また教師を始めると言っている。私はまだ独身で、そのまま証券会社に勤め続けていた。

「もう私達も三十路《みそじ》ねえ」

途切れてしまった会話を取り繕うように、彼女が明るい声を出した。

「そうだね。でも私はまだだもん」

「まだったって、十月じゃない。もうすぐよ」

くすりと澄子は笑う。そして、ほんの少し迷った顔をしてからそっと聞いてきた。

「薫、私だから聞いてもいいでしょ？」

腫れ物に触るようなその言い方に、私は少々気分を害した。けれど、それは彼女なりの奥ゆかしさなのだ。

「何でも聞いて」

笑顔を作って私が言うと、澄子は私の目を覗《のぞ》き込む。

「結婚とか、考えてないの？」

予想していた質問だったので、私は笑顔を失わずに済んだ。

「会社の親父《おやじ》達のようなことを聞くじゃないの」

「だから、恐る恐る聞いたんじゃない。付き合ってる人とかいないの？」

私は自分の爪を見つめる。どう返答しようか私は迷った。迷ったのは初めてだ。澄子であろうと誰であろうと、その質問の答えはいつも決めていたはずだったのに。

「いない」

私はそう言った。澄子が困った顔をする。

「本当に？」

「仕事が忙しくて、それどころじゃなかったもの。それに私って、何だかもてないのよ」

「お節介なのは分かってるんだけど」

澄子はテーブルに頰杖《ほおづえ》をつき、大きな溜《た》め息をついた。

「薫が仕事に生きるっていうなら、私は何も言わないけどね。でも、薫って昔はもっと明るかった気がする。ボーイフレンドもいっぱいいてさ、すごく生き生きしてたじゃない」

「だからいつの間にか、もてなくなっちゃったんだってば」

彼女の言葉を遮るように私は言った。澄子は不本意そうに口を閉じる。

私には彼女の言いたいことが、すごくよく分かっていた。子供の頃から、私と彼女は〝好きな男の子〟のことばかり話し合っていた。それが就職したとたん、私がぱったりとそういう話をしなくなったのだ。

澄子にしてみれば、それは確かに不自然だっただろう。でも、どうしても私は口に出すことができなかったのだ。私は誰にも言えない恋愛を抱え、その結果として、誰にも心を開くことができなくなってしまった。ただひとつの恋愛を守るために、自分の中に違う価値観が入り込まないようにと、私は高い砦《とりで》を築いたのだ。

そこで「ただいまあ」という子供の声と共に玄関の扉が開かれた。澄子の五歳になる息子が入って来て、私の顔をきょとんと見た。

「おかえり。翔太、ご挨拶《あいさつ》は？」

母親にそう言われた子供は、はにかんだ顔で私を見ている。

「薫おばちゃんよ。お正月にサッカーゲームくれたでしょ。覚えてないの？」

その子は、覚えてるよと早口に言った。そして母親の顔をすがるように見た。

「ママ。今ね、アキオ君ちのお母さんにボク怒られちゃった」

「どうして？」

「アキオ君がバカだから」

「何なの、それ」

「バカは死ねって言ったの。そしたら怒られちゃった」

「当たり前じゃない。あんたってどうしてそう口が悪いのよ。あーもー、また謝りに行かなきゃ」

「大変ねえ」

私は飲みかけだったコーヒーに口をつけ、そう呟《つぶや》いた。澄子は何か言いたげに口を開きかけた。しかしそれを飲み込み、ぎくしゃくと笑顔を作った。

「悪いけど、ちょっと謝って来るわ。こういうのって、時間がたつとこじれちゃうから」

私が返事をする前に、澄子はそそくさとサンダルを引っかけ、玄関を出て行ってしまった。部屋には五歳の男の子と私がぽつんと残された。

これだから。私は胸の内で澄子を非難した。他人の子供と二人きりにされるなんて、私にとっては拷問《ごうもん》に近いのに。彼女にはまるでそれが分かっていない。

人懐っこいその子は、私を疎《うと》ましくなど思っていないようだが、私は小さな子供の前では、ものすごく緊張してしまうのだ。澄子の息子とは赤ん坊の頃から何度も会っているのに、私はまだ慣れることができない。

「おばちゃん、ボク、アイス食べていい？」

屈託なく、その子は私に聞いた。

「……君んちのアイスだもん。どうぞ、食べて」

「あの中」

その子は冷蔵庫の前に立って、上のほうを指した。そうか。冷蔵庫の上部にある冷凍庫に、彼は手が届かないのだ。私はちょっと笑って、冷凍庫からアイスキャンディーを取り出してあげた。

隣に腰を下ろし、嬉しそうにアイスを食べるその子の横顔を私は眺めた。

小さな耳、小さな腕。澄子のおなかから生まれた子供。愛し合って生まれた、澄子と澄子の夫の子供。

セックスというのは、本来こういうものを創造する方法なのだなと、私は妙に感心してその小さな生き物を眺める。

鼻の奥がつんとした。

私の七年越しの不倫は、三カ月前に幕を下ろした。

不倫など、珍しい世の中ではない。独身同士にしか恋愛ができないなんて考えてみればおかしい。人間という感情の生き物は、法律では縛れない。人である限り、家庭があろうがなかろうが、恋をする時はするのだ。

私と彼の関係が〝よくある不倫の関係〟とほんの少し違う点は、彼と私が同い年だったことだ。

就職した証券会社の同期の男の子達の中に彼はいた。入社した時、彼には既に家庭があった。

学生結婚だったそうだ。大学の四年生の時に交際していた女の子を妊娠させてしまい、もう就職も決まっていたので、いっそのこと結婚してしまおうということになったそうだ。最初のきっかけなど、今となってはよく分からない。子供を産んだばかりの奥さんが、彼を構ってあげなかったからだったのかもしれない。あるいは、いちばん遊びたい年齢なのに家庭を持ってしまったストレスからなのかもしれない。同期で入社し、いっしょに四苦八苦しながら仕事を覚えていくうちに、私達は親密になった。そして寝た。

軽い気持ちで寝てしまった私達は、事の後で呆然《ぼうぜん》としていた。肌が合うとはこういうことをいうのだと、私達は心底驚いたのだ。まるで、お互いがお互いのためにあつらえられたような感触だった。

私達は夢中になった。

何故そんなに好きなのか、彼のどこが好きなのか、冷静に考えられないほど、私は彼が好きだった。彼が彼であることだけで十分だった。

私はどちらかというといつも冷静で、どろどろした感情を持つ人が苦手だった。誰とでも一線を引いて付き合うタイプだった。それなのに、彼とは感情だけが突っ走った。まさか自分が、一人の人間にこんなにも執着するようになるとは夢にも思わなかった。

手をつなぐこと。目立たないお店で並んで座りお酒を飲むこと。見つめること。抱き合うこと。

時間はたっぷりあった。最初忙しかった会社が、バブルの崩壊とやらで、定時に帰ることが奨励されるようになった。ついこの間まで、夜中まで残業し週末も仕事や付き合いで家を空けることが多かった彼は、その余った時間をまるまる私にくれたのだ。

彼は週に三回、いやどうかすると四回、私を抱いた。時々こちらが恐《こわ》くなるような、激しいのめり込み方だった。あまりにも真摯《しんし》で、あまりにも切なそうなので、必ず日付が変わる頃にワイシャツを着なおし、家に帰って行く彼を責める気にはなれなかった。

他の男の人など、私には「男」に見えなかった。私は彼以外のものは欲しくなかった。

何度キスしても、何度セックスをしても、私は退屈を感じることはなかった。向き合ってお茶を飲むことすらも、何年たっても新鮮に幸せだった。

だからこそ、私は誰にも彼とのことを話さなかった。私の話を聞いたら、人がどういう意見を持つか、私には分かりすぎるほど分かっていたのだ。

いくら誠意を尽くしたところで、結局彼は毎日自分の家庭に帰って行くではないかと。いつかは必ず壊れる関係だと。それは不幸な関係だと。きっと人は言うだろう。だから私は、会社の人はもちろん、話してもまったく構わない世界にいる親友にさえ、この七年越しの恋を一言も話さずにきたのだ。

話してしまったら「あなたは不幸だ」と言われる。言われてしまったら、そうなのかもしれないと思ってしまう人間の弱さを私は知っていた。小さな虫食いのような不信は、やがて私を食い散らすに違いないと思った。

けれど、そうやって守って守って守り通した恋に、終わりが訪れた。それは本当に大きな驚きだった。初めて彼と寝た時に感じた驚きと、皮肉なことによく似ていた。今までしてきたことは何だったのだろうという、天地が引っ繰り返るような驚きだった。

私が泣いていることに、その子はやがて気がついた。目をぱちくりさせて、彼は私の顔を覗き込む。

「おばちゃん？　誰かに苛《いじ》められたの？」

私は手の甲で涙をぬぐい、首を振った。

「おばさんね、風邪なの。それで鼻がぐずぐずするの」

ふうん、と彼は納得したように呟いた。そして、半分溶けてべとべとになったアイスキャンディーを私に差し出す。

「くれるの？」

彼はこっくり頷《うなず》いた。子供の食べかけのアイスなんて、普段だったら私は絶対口にしないだろう。けれど、こんな子供が私を慰めようとしているのが分かって、何だか胸が詰まった。私はその小さな手からアイスを受け取って口に入れた。

「幼稚園でもはやってるんだよ」

「そうなの？」

「うん。アキラ君もタカコシ君もずっと休んでたの。タナカ先生までかかっちゃってね、大人の人がかかるのは珍しいって」

そこで玄関のドアが開き、澄子が戻って来た。私は赤くなった目を見られるのが厭《いや》で、彼の話を聞きながらも、椅子《いす》から立ち上がった。

「澄子。悪いけど、私そろそろ帰るわ」

「え？　お夕飯食べて行ってよ。スキヤキしようと思って用意したのよ」

「ごめんね。やっぱり具合が悪くて」

私はバッグを持って、うつむいたまま玄関に向かう。パンプスに足を入れた時、背中で澄子が私を呼んだ。

「薫、大丈夫？」

「平気よ。大したことない。明日も会社だし、薬飲んで早く寝るわ」

彼女は腕を組み、静かにそこに立っていた。

「本当にごめんね。旦那様にもよろしくね。また来るから。電話するから」

「薫」

澄子の顔が悲しげに曇っている。

「あなたが、私みたいな平凡な主婦を軽蔑《けいべつ》する気持ちは分かるけど」

私は息を飲んで彼女を見た。

「私だって、別に安穏と暮らしてるわけじゃないんだからね」

私は返事ができなかった。ただ黙って扉を開け、そこから出ていくしかなかった。

それでも毎日は変わりなく来る。何となく体調が悪いなと思いつつも、私は淡々と日々の業務をこなしていた。時折廊下で別れた彼と顔を合わすことがあったが、私は黙って目を伏せた。何か言いたそうな彼から、私は逃げるようにしてその場を立ち去った。

ある日の昼休み、熱っぽいなとふと思った。重いからだを引きずるように帰宅し熱を計ってみると、三十八度あった。

今日もエレベーターで乗りあわせてしまった彼の顔が頭に浮かぶ。私は自分の部屋の電話の前に座り、じっと受話器を見つめた。

来月には、彼はアメリカへ行く。ＭＢＡという資格を取りに、向こうの大学に通うのだ。費用はもちろん会社が出す。

二年ほど前から、彼の態度が微妙に変わってきたことに私も気がついていた。デートの回数が徐々にだったが減っていったのだ。けれど、店頭のカウンターにいる私と営業にいる彼とでは、忙しさも違う時がある。そんなものだろうと私は軽く考えていた。

そのうち、彼が証券アナリストの資格を取ったと聞いて、私はすごく驚いた。新しい酒場とイタリアのスーツと私とのセックスにしか興味のない男だと思っていたし、実際そう口にしていた。出世なんか馬鹿らしい。上司にへえこら頭を下げる時間があるなら、俺は一回でも多く薫を抱くよと言っていた。

その同じ口で彼は悪びれもせず言った。薫とのデートを減らして英話学校へ行ってるんだ。何だか知らないけど、会社が金出してくれるんだよな。少しは景気が持ち直したからかなあと。

そしてその一年後には、海外研修だ。私はただただ驚くしかなかった。

私は澄子に、仕事が生き甲斐《がい》なのだと常々話していた。けれどそれは、恋人や結婚のことについて聞かれたくなくて、予防線を張っていただけのことだった。

彼と同期で入社したけれど、彼は営業で私は店頭業務。最初はその違いなど分からなかったし、私などでは企業を回って頭を下げたり、自分で株式の動向を研究するようなことはできないのだから仕方ないと思っていた。

けれど、私はこの歳になって、初めて思い知らされた。

男の人は、出世をするのだと。

来月には彼は日本を離れる。二年間の海外研修の後、彼には大きなスタートが待っている。

私は一人きりで三十歳の誕生日を迎え、その二年後には何があるだろう。少なくとも新たなスタートなどありはしない。ただ日常の業務を繰り返していくだけだ。三十路の一般職の女に、会社が研修などさせてくれるわけがなかった。

この恋に、溺《おぼ》れていたのは私だけだったのかもしれない。私の服を脱がせ、乳房に歯をたてながらも、彼は頭のどこかで将来のことをちゃんと考えていたのだ。

海外研修が決まると、彼は私に頭を下げた。これを機会に別れようと。薫を嫌いになったわけではない。けれど、俺は薫とは結婚してやれない。お前ももう三十になるのだから、いつまでもこんなことをしていてはいけないと。

きっと私は、その言葉を聞いた時に暴れるべきだったのだろう。三十になるまで、他に恋人も作らず、仕事も中途半端にしかしてこなかったのは、彼がいたからだった。それを歳をとったからもういらない、と言われているようなものだった。

けれど、彼のせいにするのもどこか間違っている気がした。頼まれて仕方なく付き合っていたわけではないのだ。自分で選んで、充実して、七年間も抱き合ってきたのだ。私には彼を責める言葉を見つけられなかった。

そして彼は最後に言った。言わなくてもいい一言を。

女房が二人目を欲しがってるんだよな、と。

私は受話器を取り上げる。彼の携帯電話の番号を押した。


十月の私の誕生日、部屋に花束が届けられた。

土曜日の午前中でまだ眠っていた私は、その大きな花束を寝ぼけ眼《まなこ》で受け取った。

毎年必ず、澄子が贈ってくれるのだ。私はそれを花瓶に活けると、パジャマのまま澄子にお礼の電話をした。

「花、届いたよ。毎年忘れないでいてくれてありがとう」

私の言葉に、彼女はためらったように「ううん」と言った。

「それより、この前はごめんね。私、薫にひどいこと言っちゃって。ずっと気にしてたの」

「そんなこと」

そうか、私はあれから澄子に電話の一本も入れていなかったのだ。

「私こそ、ごめんね。本当にごめん」

「薫が謝ることなんかないじゃない」

「ううん。あのね、澄子」

そこで、電話の向こうから子供が「ママー」と呼ぶ声が聞こえた。

「翔太君が呼んでるよ」

「ああ、いいのよ。わがまま言ってるだけだから」

「翔太君も元気？」

「それがね、夏におたふく風邪にかかっちゃってねえ。大変だったのよ」

私はゆっくり目を閉じる。

「もう治ったの？」

「うん。もう平気よ。さっき何か言いかけなかった？」

うん。ねえ、澄子。聞いてほしいことがあるの。私がまる七年してた不倫のことなの。

おたふく風邪が移ったかもしれないこと、私分かってたのに、最後だからって言って、
彼に抱いてもらったの。

ねえ、澄子。神様っていると思う？　私のしたことは、何か天罰が下るかしら。私も真夏に、二週間も会社を休んじゃったわ。彼はアメリカに着いたとたんに発病したんだって。

笑っちゃうわよね。二人とも何で子供の頃に済ませておかなかったのかしら。彼ね、熱であそこが腫れちゃって、もう精子が作れないんだって。会社の人達がこそこそと噂《うわさ》してたわ。

これは奇跡なのかしら。それとも当然の出来事なのかしら。

「薫？　薫？　どうしたの？」

電話口で突然黙り込んでしまった私を、澄子が何度も呼んだ。

ねえ、澄子。私はあの人の、どこが好きだったのかしら。

第八話　ニワトリ

青天の霹靂《へきれき》とまでは言わないけれど、私にとって、それはとても突然の出来事に感じられた。

二十二年間、日本に生まれて日本で育って、それなりに楽しいことも苦労もあったけれど無事に大学四年生になり、ゼミの先生の推薦で何とか就職先も内定して、気楽に朝寝坊できるのはあともう少しね、社会人になったらもう少しキビキビしなくちゃね、なんて私なりに決意して、でも自分のアパートでごろごろとテレビドラマの再放送なんかを観ていた平和な昼下がりのことだった。

事の始まりは突然のノックだった。誰かが玄関を乱暴に叩《たた》く音がした。やあねえ誰よ、とドア・アイを覗《のぞ》くと、四十歳ぐらいの男がドアの前に立っていた。

魚眼レンズで見たのではっきりと分からなかったが、見覚えがあるような顔だった。ドアを開けようかどうしようか迷っていると、

「江戸川さん、いないんですか。シネマ・キングの者ですけど」

そう言いながら、そいつはまたドアをがんがん叩いた。シネマ・キングというのは近所にあるレンタルビデオ屋だ。そうだ、思い出した。ドアの前にいるのはそこの店の男だ。

私は何だろうと思いながら、そろそろとドアを開けてみた。

「江戸川晴子さんですか？」

彼はにこりとも笑わず私にそう聞いた。痩《や》せた顔には不精髭《ぶしようひげ》がちらほら生えて、目の下にはくっきりと隈《くま》があった。

「はい、私ですけど……」

「ビデオを返して頂けますか」

低い声で、でもはっきりとその男は言った。

「あれ？　私、返したような気がするんですけど」

「いいえ。二カ月前の三本、まだ返して頂いてません。何度か留守電にその旨お伝えしたんですけどね」

厭味《いやみ》たっぷりに彼はそう言った。ああ、そういえば、いつかそんな留守番電話が入っていた気がする。酔っぱらって帰って来たところだったので、すぐ消してしまって忘れていた。

「ちょ、ちょっと待って下さい」

私は部屋の中に取って返した。確かに三本ビデオは借りたけど、あの後返したような気がしたんだけどなあ。

ところが、テレビ台の下の引き出しを開けたら、レンタルビデオ屋の袋に入ったビデオがちゃっかり入っていた。

「ああ、ごめんなさい。ありました。忘れてたんです。すみません」

私は玄関にビデオを持って行って、ぺこぺこと頭を下げた。彼はそれを黙って受け取る。

「延長料金と罰金を払ってもらいますからね」

「罰金？」

「当然じゃないですか」

腕を組み、彼は犯罪者でも見るような目で私を見た。どうやら本気で怒っているようだ。

「……おいくらですか？」

彼はえへんと咳払《せきばら》いをして、その金額を口にした。

「ええ？　そ、それじゃ買い取ったほうが安いじゃないですか！」

思わず言うと、彼は目をかっと見開いた。一瞬殴られるのかと思って、私は両手で頭をガードする。

「あんたね、自分が何をしたか分かってるんですか？」

ずいと私のほうに顔を寄せて、男は凄味《すごみ》のある声で言った。

「あんたみたいなバカな女子大生は知らないだろうけどね、これは犯罪ですよ。訴えられるんですよ。訴えてほしいですか。そういう判例だってあるんですよ。借りてたビデオを返さないっていうのは横領罪なんですよ。それにね、一度や二度ならまだ許せても、あんた何度目だと思ってるんですか」

言われて思い出した。確かに私は何度かその店でビデオを借りて、返すのを忘れていたことがあった。でも、別に悪気があったわけじゃないし、ちゃんと延長料金だって払って、その度に謝ったじゃないか。

「とにかく、お金を払って下さい」

そう言われて、私は仕方なくお財布を取り出した。何となく釈然としなかったけれど、ここで私がお金を払わなかったら、もっと話がこじれそうだったからだ。

お財布の中を見て、私は「あっ」と思った。さっき新聞屋さんが集金に来たので、お財布の中には二千円しか入っていなかった。

「あのー、すいません。今お金がないんですけど」

そう言ったとたん、男のこめかみがぴくりと動いた。

「あの、あの、明日また来ていただけますか。お金用意しておきますから」

「なめんじゃねえぞ、このアマ！」

目の前で怒鳴りつけられて、私はびっくりして飛び上がる。

「常識ってもんを考えろ！　おめえが頭下げて店まで持って来るのが筋だろうが、このバカ女！」

ビデオ屋は、そう言って玄関のドアを思い切り蹴《け》った。ものすごい音がして、私は亀のように首を縮める。涙さえ滲《にじ》ませてその男は帰って行った。私はただ唖然《あぜん》とその背中を見送った。


「そりゃ、お姉ちゃんが悪いよ」

会社から帰って来た妹が、クレンジングを顔に塗りたくりながらそう言った。

「ええ？　バカ女なんて言われたんだよ。バカ女。いくら何でもひどいじゃない。失礼しちゃうわよ！」

私は唇を尖《とが》らせて言う。妹は返事をせず、ざばざばと顔を洗っていた。

「そりゃ私も悪いけどさあ。あの人、ちょっと頭がおかしいんじゃないかな。目も血走ってたし。あのビデオ屋、あんまり流行《はや》ってないじゃん。経営苦しくてノイローゼなんじゃないの」

化粧を落としたすっぴん顔になって、妹はテーブルの前に腰を下ろした。パジャマであぐらをかいている姿は、先程までの決めに決めたスーツ姿からは別人のようだ。

「お姉ちゃん、お茶淹《い》れてくんない」

「何で私が」

「一日中、何にもしないで家でごろごろしてたんでしょう。あたしは働いて帰って来たんだから、そんぐらいしてくれてもバチは当たらないんじゃない」

「あんたの稼ぎで、食べさせてもらってるわけじゃないじゃん」

「ああ、そういうこと言うならいいよ。先月貸した二万円、今すぐ返してよ」

私は返す言葉を見つけられずに立ち上がる。まったく嫌な奴《やつ》だ。

ひとつ年下の妹とは、春からいっしょに暮らしている。地元の短大を卒業した彼女は、田舎じゃろくな仕事がないと上京して就職したのだ。仲が悪いわけではないし、それではいっしょに暮らそうかということになったのだ。

ところが、いざ数年ぶりに妹と暮らしてみると、素直で可愛《かわい》らしかったはずの彼女が、何やらちくちく厭味ばかり言うのだ。

キッチンでお茶を淹れ始めると、隣の部屋から妹が「お姉ちゃんさあ」と疲れた感じの声を出した。

「ビデオ屋のおじさんの気持ち、分かるな、あたし」

「……え？」

「お姉ちゃんって、一見悪い人に見えないんだけどさあ」

私は湯飲みをふたつ持って妹の前に戻った。その聞き捨てならない台詞《せりふ》の続きを待っていると、彼女は除光液を取り出してマニキュアを落とし始めた。

「そこで話をやめないでよ」

彼女はうーんと唸《うな》る。

「お姉ちゃんって、友達いる？」

突然そんなことを言われて、私は絶句した。

「言いたかないけど、お姉ちゃん、ちょっと自分の性格考えたほうがいいかもよ」

「……どういう意味でしょうか」

お茶まで淹れてあげたのに、何故《なぜ》そんなことを言われなきゃならないのだろう。

「この前貸してあげたワンピース、返してよ」

そう言われて、私は「あっ」と思った。デートに着て行くのに、妹に洋服を借りたのだ。それをクリーニング屋に出しっ放しで忘れていた。

「ごめん、クリーニング屋だわ。明日取ってくる」

「貸したのは随分前よ」

「悪い、明日行く」

「お金も返して。二万円だけじゃなくて、子供の時から通算すると八万五千円」

「え？」

「高校生の時に貸したピンクハウスの鞄《かばん》も返して。小学生の時に貸した、三色ボールペンも返して」

妹の冷たい目が私を見つめる。確かにそう言われれば覚えがあるが、どうして急にそんなことを言いだすのか、妹よ。

「……ごめん」

それでも彼女が本気で怒っているのが分かったので、私はとりあえず謝った。すると彼女は露骨に息を吐いて、私が淹れたお茶を啜《すす》った。

気まずい沈黙が部屋の中に漂った。テレビの音が妙に響く。

「お姉ちゃんって、本当にニワトリね」

赤く染まった化粧パフをゴミ箱に放って、妹はぽつんと言った。私は湯飲みに伸ばした手を止める。

「脳みそがさ、ほんのちょっとしか入ってないんじゃないの。で、トサカ振ったとたんに、何もかも忘れちゃうのよ、きっと」

妹は今まで見せたことのない、大人の笑顔でそう言った。


「ニワトリだって、ニワトリ」

その後、私はすごく落ち込んでしまい、歩いて十分の所に住んでいる恋人のアパートへふらふらと行ってみた。

ところがまだ帰って来ていないらしくて部屋の電気が消えていた。仕方なく道を戻りかけた時、ばったり彼に会ったのだ。

部屋に上がった私はソファに崩れ、珍しくスーツなんかを着ている彼を見上げてそう言った。

「なーんか、グサッときちゃった」

彼は黙ったままネクタイを解《ほど》き、ワイシャツを脱ぎ、スーツのズボンを脱いで、いつものジーンズとトレーナーを身に着けた。

「ところで孝夫、今日はどうしてスーツなの？」

「就職活動。言ったと思うけど」

「そうだっけ」

「そう」

彼は私のほうを見ようとしないで、どすんとクッションの上に腰を下ろした。そこにあったリモコンを取り上げ、黙ってテレビを点《つ》ける。

何だか機嫌が悪いようだ。

孝夫は基本的にはいい人なのだけど、どうも気分屋でいけない。何だか知らないが、急に機嫌が悪くなる時があるのだ。

「お疲れのようだし、今日は帰るわ」

私はそう言って立ち上がった。機嫌が悪くなるのはいつものことで、放っておけばそのうち治るのだ。

「確かにニワトリだと思えば、腹も立たないか」

玄関で靴を片方履いた時、背中で彼がぼそっと言った。

「え？」

私はその姿勢のまま振り返る。さっきまで私の目を見ようとしていなかったのに、彼は私を真っ直ぐ見つめていた。

「俺、晴子と付き合うの、疲れたよ」

私は靴を片方だけ履いたまま、何事かと驚いてつっ立っていた。

「お前、今日が何の日か覚えてる？」

苦手分野の質問をされて、私は返事に窮した。彼の誕生日ではないのは確かだ。それは先月で、私はそれをころっと忘れていて、さんざん厭味《いやみ》を言われたのだから。

「……何の日でしたっけ」

「俺達が付き合い始めた日だろう」

そんなこと覚えてるなんて女の子みたいだわ、と女の子の私は思った。

「誕生日だってそうだよ。いいか、別にプレゼントが欲しいとかお祝いをしたいとか、そういうんじゃねえんだよ。覚えててくれさえすれば嬉しいんだよ。それをお前って奴は、人が疲れて帰って来たのに優しいことのひとつも言わねえで」

うわあ、ますます女の子みたい。

「別れようぜ」

彼はそう言い捨てた。私は仕方なく、もう片方の靴も履いた。彼はもうテレビに顔を向けてしまっている。私はポケットの中の合鍵《あいかぎ》を取り出し、そっと下駄箱の上に載せた。

私は極力音を立てず、彼の部屋のドアを閉めた。アパートの階段を降りる。膝《ひざ》ががくがくと震えた。

私は次の日、学校を休んだ。

まず銀行に行ってお金を下ろし、例のレンタルビデオ屋に行って、昨日の男に「罰金」を払った。十回も二十回も頭を下げたけれど、彼は一言も口をきいてくれなかった。

そして駅前のクリーニング屋に寄って妹のワンピースを受け取り、彼女が好きなチョコレートパイを買った。

家に戻ると、私はまず本棚の整理をした。自分で買った覚えのない本を、本棚から抜き出してみる。自分でも恐ろしくなるほど、人から借りて返していなかった本がたくさん出て来た。CDの棚にも、私のものでないCDがたくさん眠っていた。

私は机に取りかかる。引き出しを開ける度に、冷や汗が浮かんだ。試験の時に借りてそれっきりだったノート。返事を書いていない手紙。焼き増しを頼まれていたのに忘れていたフィルム。借りたっきりやってもいなかったファミコンソフトと攻略本。

他人の物の山に埋もれて、私はしばし呆然《ぼうぜん》としていた。

しかしもっと恐《こわ》かったのは、誰に借りたか覚えていない物や、自分が買ったのか人から借りたのかすら分からない物がたくさんあったことだ。

忘れたことすら、忘れている。忘却の彼方《かなた》である。

そして私は、アドレス帳を開けて友人知人に端から電話をかけてみた。番号を押す指が、昨日彼氏のアパートの階段を降りた時のように震えていた。

私に貸しっ放しの物はないか、私に約束を破られたことはないか、私に嫌な目にあわされたことはないか、正直に言ってみてと頼んだ。

「ああ、そうね、社会学のノートね。いつ返してくれんのかしらって思ってたけど。うーん、いいけどさ、別に。言いにくいじゃん、そういうことって。え？　そんなら言うけど、去年かもう少し前かなあ、あんたが学校に来るのにお財布忘れてさ、お昼食べられないって言うから千円貸した気がする、あたし」

これはクラスの女の子。

「CD？　ああ、もう諦《あきら》めてたよ。え？　別にいいよ。もういらないよ。返しに来る？いいよ、俺も忙しいから。晴子さんって待ち合わせしてもどうせ時間に来ないし、苛々《いらいら》しちゃうだけだもん」

これはバイト先の後輩の男の子。

「晴子？　久しぶりじゃない。元気？　え？　どうしたの？　ふーん。いいよ、いまさら。そうねえ。そういえば高二の時、いっしょに映画観に行こうって約束して、あんたそのことすっかり忘れてて、男の子とデートに行っちゃったでしょう。さすがにあの時は腹が立ったけどね。晴子って悪気はないんだと思うけど、女同士って難しいからさあ、もう少し気を遣ったほうがいいかもよ」

これは田舎に住んでいる幼なじみ。

私は電話を切った後、夕暮れのアパートの部屋で長いこと放心して座っていた。

これはもう、単にルーズで済ませられる問題ではないかもしれない。

人って恐い。私は自分のことは棚に上げてそう思った。本当は怒っているのに怒っていない顔で接していた人がたくさんいたのだ。人の記憶力のよさや、人の生真面目《きまじめ》さが私は恐かった。

さすがの私も落ち込んだ。

確かに自分はきちっとした性格ではないと思っていた。けれど、こんなにも人様に迷惑をかけていて、こんなにも呆《あき》れられて嫌われていたなんて思いもしなかったからだ。犯罪だ、訴えるぞとすごんだビデオ屋の男の顔が過《よぎ》った。

何でこんなにも私は物忘れが激しいのだろう。脳に何か障害があるのかもしれない。妹の言うとおり、ニワトリぐらいしか脳みそが入ってないのかもしれない。

あまりにも暗い気持ちだったので、私は孝夫にでも会いにいって元気を出そうと立ち上がった。そのとたん、彼には昨日お別れを言い渡されたことに気がついた。足の力ががくりと抜ける。

執着心はない。誕生日も二人の記念日も覚えていなかった。彼の言うことも、いつも適当に聞き流していた気がする。

だけど、私は彼が好きだった。こんなんで「好き」なんて言う資格はないのかもしれないけど、やはり私は私なりに彼が好きだったのだ。

私は妹が帰って来るまで、頭を抱えて畳の上につっ伏していた。

「どうしたの、電気も点《つ》けないで」

頭の上の蛍光灯がぱちりと点く。私を見下ろす妹の顔。

「お姉ちゃん？　どうかした？」

「……ワンピース、取って来たよ。すぐ返さないで本当にごめんね。もうあんたに洋服借りないから。あんたの好きなチョコレートパイ買ってあるから食べてね」

ぼそぼそと呟《つぶや》くと、妹は私の前に座って珍しいものでも見るように目を丸くした。

「何かあったの？　いつもと違うよ」

「汚名返上しようと思って……」

「ええ？」

「孝夫にはふられちゃったし、友達もみんな私のこと嫌ってたみたいだし……」

「ふられた？　孝夫さんに？」

昨夜妹はさっさと先に寝てしまっていたので、彼にふられたことはまだ打ち明けていなかったのだ。

「ニワトリですもの。人間の男の人には愛されないのよ」

孝夫にふられた顚末《てんまつ》を話すと、妹はこっちがびっくりするような大きな声で「何それーっ」と叫んだ。

「そんなこと言われて、お姉ちゃん黙って帰って来たの？」

「……返す言葉もありませんしねえ」

「それって、お人好しすぎない？」

だってだってお姉ちゃんって、結構あの男に尽くしてたじゃない。ご飯作ってあげたり、代返《だいへん》してあげたり、そうだ、思い出した。あの男がマージャンで大負けした時、お姉ちゃんバイト代が入ったところだからって三万円ぐらい渡してたでしょう。それ返してもらった？　うそー、ひどーい。あ、もうひとつ思い出した。あのバカ男がうちのアパートの前に自分の車停めてさ、駐禁貼《は》られたことあったじゃない、そいであのバカ、スピードとかで結構何度か切符切られててさ、もう点数なくてこれ以上切られたら免停だからって、お姉ちゃんが停めたことにしてくれって、点数だけじゃなくて罰金もお姉ちゃんに払わせたじゃん。すんげ、むかつく。

妹が我がことのようにまくしたてるのを、私はぽかんと口を開けて眺めていた。孝夫さんと最初表現していたのが、あの男、バカ男と変化していくあたりがすごい。

「あんた、そんなことよく覚えてるわねえ」

「忘れてるほうが異常だよ」

そっか。私のほうが異常なのか。

しゅんと肩を落とすと、妹は急にばつが悪くなったような顔をした。そして、いっしょに肩を落としてつぶやく。

「ごめんね。お姉ちゃん」

「……何であんたが謝るの、妹よ」

「だってあたし、昨日ひどいこと言ったもん」

「本当のことだからいいよ」

そこで、床に置いてある電話がテロテロと音をたてはじめた。私と妹は同時に電話を振り返る。

「バカ男かもしんないよ。お姉ちゃん、あたしが出てあげようか」

「いいよ、私出る」

何だか知らないが、妹はそこでぐしゃっと泣きだした。何泣いてんだ？　と思いながら私は受話器を取り上げる。

「でも、お姉ちゃん」

「お姉ちゃん、あたしね、あたしね、小学生の時、お姉ちゃんが大事にしてたクマのぬいぐるみにマジックで悪戯《いたずら》書きしたのあたしなの。高校の時、お姉ちゃんのお気に入りのコーヒーカップ割ったのあたしなの。お姉ちゃんが初めて男の子と旅行に行った時、お母さんに告げ口したのあたしなの。黙っててごめんね。お姉ちゃん。ごめんなさい」

背後で妹がそう言いながら泣いている。耳に当てた受話器から、孝夫が「お前がいなくちゃ俺はやっぱり駄目なんだ」と泣いていた。

私はどう対処したらいいか分からなくて、天井を見上げる。

世の中の人は、なんて真面目なんでしょうかね。

第九話・留守番電話

彼女から「鍵《かぎ》を返して」と言われた時、僕がまず最初に思ったことは、しまった、合鍵を作っておくんだったということだった。

そんなことよりも、どうして彼女が怒りに燃えた目で鍵を返せと言ったのか、まず考えなくてはいけなかったのだ。今はそう思う。

だからこそ、僕はふられたのだろう。

こんなにも嫌われたのは、僕の性格がこうだからなのだろう。

自覚したところで、どうなるわけでもないのだが。

「今日、私、お誕生日なんです」

出勤してデスクについたとたん、同じ課の女の子がコーヒーカップと共にそんな言葉を差し出した。僕はどう返答しようか一瞬言葉に窮した。

「それは、おめでとう」

他にどう言えばいい。「あっそう」じゃ冷たすぎるし、「それがどうした」じゃ喧嘩《けんか》を売っているようだ。

「ありがとうございます」

「こちらこそ」

何がこちらこそなのかというと、座ったとたんに出てきたコーヒーのことだ。

「今晩、空いてませんか。誕生日だっていうのに、誰も付き合ってくれないんですよ。あ、もちろん割り勘でいいですから」

ちなみにここは営業部のデスクで、朝の九時半で、課の人間は皆、電話をしたり朝一番の仕事を片付けたりしているのだ。その中の三、四人は僕がどういう返事をするか耳をそばだてていることだろう。

絶対ひどいことを言われないシチュエーションを選んでそんなこと言うなんて、大したものだと僕は苦笑いをした。

「いいよ。どうせ暇だから」

彼女の顔に、花のような笑顔が広がった。その時、腕に巻きつけられた震動式のポケットベルがぶるっと震えるのを感じた。僕は何食わぬ顔で立ち上がる。

おい、まだ朝の九時半だぞ。僕は胸の中で悪態をついた。

取引先に向かう前に、僕は駅の公衆電話から留守番電話を呼び出した。暗証番号を押して、メッセージを再生する。

「ワタシです。実は今日の約束なんですけど、夕方から会議が入っちゃってね。待ち合わせの時間を一時間ほど遅らせてくれないか。本当にごめん。でも必ず行くから」

こいつは男のくせに自分のことをワタシと言う。けったくそ悪い奴だ。

僕はプッシュホンを操作してそのメッセージを消去し、公衆電話の受話器を置いた。得意先へのご機嫌取りなど行く気にもなれず、僕は目についた喫茶店へ入った。

コーヒーを頼み、店に置いてあったスポーツ新聞を広げる。けれど、野球やプロレスの記事もこの苛《いら》ついた気持ちを吸い上げてはくれなかった。僕はうつろな気分で、ポルノ小説のイラストを眺めた。うっとりと唇を半開きにした裸の女だ。僕は眉間《みけん》を指で揉《も》んだ。

恋人だった女にふられて、半年がたとうとしていた。

約二年間、彼女と僕は半同棲《はんどうせい》生活をしていた。自分のアパートに戻るのは、着替えを取りに帰る時ぐらいで、僕は毎日のように彼女の部屋に「ただいま」と言って帰って行った。早いうちに結婚しておけばよかったのだ。また後悔が胸を締めつけた。彼女が僕に夢中だったあの頃に、無理矢理にでも籍を入れておけばよかった。そうしたら、あんなに簡単に別れを言い渡されることもなかったかもしれない。

いや。僕はひとりで首を振った。

籍が入っていようがいまいが、彼女なら躊躇《ちゅうちょ》なく僕を追い出しただろう。嫌いになった男になど、情けをかけるような女じゃない。

僕と彼女は、共通の知人を通じて知り合った。彼女にはやたら友達が多かった。女も男も年上も年下も、皆口を揃《そろ》えて彼女のことを褒めた。

本当に彼女は裏表のないさっぱりした性格だ。あんないい子と付き合えるなんてうらやましい。大切にしてあげてね。彼女の友人は誰しも僕に向かってそう言った。

僕も最初の頃は、そのとおりだと思っていた。潔いショートカットの髪をした彼女は、女性特有のいやらしさを微塵《みじん》も持っていない子だった。彼女は本当にまっすぐで、間違っているところがひとつもない、ぴかぴかの女の子なのだ。

僕は彼女のおかげで、急に友人が増えたように感じた。やれテニスだやれ飲み会だと、彼女と彼女の友達が誘ってくれるのは、とても嬉《うれ》しいことだった。

しかし僕は、そんな彼女に徐々に疑問を持ち始めたのだ。

僕が仕事を終えて帰って来ると、彼女の友達が遊びに来ていることがよくあった。しかしそこは僕の部屋ではなく、彼女の部屋なのだ。文句を言うのは間違っている。そのぐらいの常識は僕にもあった。

けれどそれが女ではなく男であった場合、そんな冷静ではいられない。

ある日、残業を終えて帰って来ると、彼女と男が仲よくソファに座ってビデオを観ていた。もう時間は明日の日付に変わろうとしていた頃だった。

思わず逆上して怒鳴り散らした。それが彼女と僕の最初の喧嘩《けんか》だった。ばつが悪そうに（けれどニヤニヤ笑って）男が帰って行くと、彼女は有無を言わさず僕に張り手をくらわした。

知らない男を部屋に上げていたのなら怒るのも分かるけど、あの人はトノムラ君よ。友達なのよ。男だろうが女だろうが、私にとっては大切な友達なの。いっしょにテニスしたことだってあるじゃない。そんなこと疑るなんて、あなた異常よ。

彼女はその大きな瞳《ひとみ》から、ぽろぽろと涙を零《こぼ》してそう言った。

トノムラ君だろうがテニスをしたことがあろうが、自分の恋人が別の男と夜中にふたりきりでいるのを発見して、冷静でいるほうが異常だと思う。

けれど僕は謝った。ここで謝らなかったら、彼女を失うことになるのが分かったからだ。

その喧嘩から一年、僕達は同じような喧嘩を繰り返した。そして僕は愛想を尽かされた。

もう顔を見るのも嫌だと。あなたみたいな人をどうして好きになったのか、私には分からないと彼女は言った。

僕にも分からなかった。

あんな女を、どうしてまだ好きなのか、僕にもまるで分からなかった。

仕事をする気になどまったくなれなかったが、今日は取引先の人間と昼食を食べる約束がある。僕は仕方なく立ち上がった。

勘定を払い、店の扉を開けたとたんに手首のポケベルがまた震動を始めた。僕は店に取って返して公衆電話に飛びついた。

そして、彼女の部屋の電話番号を押す。

「ワタシです。今日はやっぱり会えそうもないんだ。本当に悪い。必ず埋め合わせはするから。夜、こちらからアパートのほうへ電話します」

トノムラだ。僕はむかむかしながら、その留守番電話のメッセージを消去した。罪悪感などない。ざまあみろだ。

僕が彼女の部屋の留守番電話を勝手に聞いて、場合によってはそれを消去するようになったのは二カ月ほど前からだ。

一方的にふられた僕は、頼まれたってお前みたいな女とは二度と会いたくないとしばらくの間は思っていた。けれど、その怒りが収まってきた頃、僕は自分でもどうしたのかと思うほど、彼女が恋しくてたまらなくなった。

僕達にでも、うまくいっていた時があったのだ。

彼女はまっすぐ僕を見つめ、あなたが大好き、と語尾まではっきり発音した。その度に僕は照れて下を向いた。するとまた、照れ屋なところが大好き、と彼女は言うのだ。

二人きりの時、彼女は子供のように僕に甘えた。友達が一人でもいる時は、彼女は決して恋人ぶった態度を取らないのに、二人きりになったとたん、彼女は僕の腕に頬《ほお》を寄せた。

テレビを観る時もお茶を飲む時も彼女は僕の傍らにいて、からだのどこかに必ず触れていた。友達といる時はうるさいぐらい喋《しゃべ》っているのに、僕といる時は口数が減った。ただ微笑《ほほえ》んで僕の腕に凭《もた》れている彼女を、僕は心の底から愛《いと》しいと思った。

もう一度やり直したい。僕はそう思った。百回でも千回でも謝ろう。彼女がもう一度僕に寄り添ってくれるのなら何でもする。人生を全部彼女にあげてもいいと思った。そして僕は、決死の思いで彼女に電話をしたのだ。

夜の十時過ぎだった。彼女はまだ帰宅しておらず、コール音が二度鳴った後、留守番電話に切り替わった。彼女が留守だということを予想していなかったので、僕は反射的に電話を切った。

その瞬間だった。胃の奥のほうから、何か大きな虫が食道を這《は》い上がってくるような、そんな強烈な不快感が湧《わ》き上がってきた。

トールセイバーだ。僕はそう思った。

彼女と僕がまだうまくいっていた頃、彼女の電話機が壊れ、二人で新しい電話を買いに行ったことがあった。電気製品に弱い彼女のために、僕は説明書を全部読み、使い方を教えてあげた。

外出先から自宅の留守番電話にメッセージが入っているかどうかをチェックする時、何も入っていなければ五回のコールで留守番モードに切り替わるようになっている。けれどメッセージが入っている時は、コール二回で留守電に切り替わるのだ。つまり三回鳴った時はメッセージが入っていないということが分かる仕組みだ。外から留守番電話のメッセージを聞く時に通話料金を無駄にせずに済む便利な機能なのだ。

僕は自分の部屋の電話の前で、髪を掻《か》きむしって呻《うめ》いた。

僕は暗証番号を知っているのだ。設定してあげたのは僕なのだから。

暗証番号を入力すれば、誰かが彼女に宛《あ》てたメッセージを聞くことができる。けれどそれは、彼女が最も嫌う種類の行為だ。

しかし僕の手は、理性を裏切った。気がついたら、彼女の誕生日を四桁《けた》に直した数字を、僕は押していた。


いったい僕は何をしているのだろう。

小綺麗《こぎれい》なレストランバーで、僕は酒を飲んでいる。隣には、今日が〝お誕生日〟の会社の女の子が座っていた。ベストセラーの本について彼女は話している。

何だか現実感がなかった。僕はぼんやりと煙草に火を点《つ》けた。

「最近、元気がないですね」

その子の話を適当に聞き流していた僕は、その一言に顔を上げる。

「そうかな」

「無理に誘ってすみませんでした」

「あ、いや、そんなことないよ」

僕は笑って首を振った。

元気がないね。そう言われることが最近多い。昼に取引先の人からも言われたし、先週部長にも言われた。部長のそれは、心配というよりは厭味《いやみ》に近いものだったが。

「君はずいぶん本を読んでるんだね」

話の流れ上、僕はそう聞いてみた。

「そうでもないです、って言いたいところなんですけど、実は沢山読んでるんですよ」

「へえ。見掛けによらないなあ」

「でしょう。私ね、作家になりたいんです」

ああそう。作家になりたいの。彼女はね、建築士になりたいって言ってたよ。女の子なのに、部屋にでっかいトレースの机が置いてあるんだ。

「夢があっていいね」

僕はそう言って、ウィスキーを口に運んだ。これで何杯目だろう。酔っているのかいないのかすらよく分からなかった。

その子は急に顔を赤くして黙り込んだ。彼女も酔いが回ってきたのだろうか。

僕はふと、その子のことを観察してみた。深いブルーのツーピースに、同じような色のパンプスを履いている。大きくて白い襟に、ストレートの長い髪が流れていた。首筋も手首も白くて細い。

結構可愛《かわい》いんだな。僕はそう思った。ずっと同じ課で働いているのに、僕はその子の顔をしみじみ眺めたことがなかったのだ。

そこでまた、ポケベルが震動した。僕はグラスを置いて立ち上がる。

「悪いけど、電話してきていいかな。すぐ戻るから」

その子はすがるような目で僕を見てから、無理に笑顔を作って頷《うなず》いた。僕は店の奥にある電話ブースに向かった。


あれから僕は、奈落《ならく》の底につき落とされたような毎日を送っている。

あの日、彼女の留守番電話に入っていたメッセージは、あのトノムラという男からだった。それはデートの誘いで、それも明らかに二人は恋人同士のような口調だった。

僕は愕然《がくぜん》とした。あんなに動揺したことは、今まで一度もなかった。

彼女はあの男と付き合っているのだ。いつからだ？　僕と付き合っていた頃からか？

あいつに心変わりをしたから、僕を追い払ったのか？

僕は毎日のように、彼女の留守番電話を聞くようになった。彼女が部屋にいるかもしれない夜や週末以外は、一日に何度も何度も僕は彼女の留守番電話を聞いた。他の友達や彼女の母親からのメッセージもたまに入っていたけれど、ほとんどがそのトノムラという男からだった。

地獄だった。電話を見れば彼女の部屋に電話をしたくなり、それができない夜や週末は、今頃彼女のあのベッドの上で、二人は抱き合っているのかもしれないと思うと、本気で包丁を持って乱入してやろうかと思うほどだった。

嫉妬《しっと》というのは、女のものだと思っていた。僕だって恋愛経験がないわけではない。今回と同じように一方的にふられたこともあったが、こんな気持ちになったことは今まで一度もなかった。

仕事が手につかず、彼女のことしか考えられない。優しかった頃の彼女。彼女の細い指が僕の髪をからめとる、あのしぐさ。あの微笑み。あの匂《にお》い。

もう僕のものでない。どうしてだろう。かつては僕のものだったのに。

僕は感情を持て余し、そしてその感情が爆発しそうになると、慌ててトイレや屋上に走って行って、まるで吐くようにして呻《うめ》いた。苦しかった。これなら学生の頃やっていた野球部のしごきのほうがよっぽど楽だった。

そしてある日、僕は電気屋に行き、ポケットベルと彼女のものと同じ機種の電話機を買った。電話機が欲しかったのではなく、取扱説明書が欲しかったのだ。最近の電話は驚くほど多機能で、留守番電話にメッセージが入ると、それをポケットベルに転送してくれるのだ。その操作も、暗証番号さえ知っていれば外の電話から設定できた。おかげで僕は少しだけ冷静さを取り戻した。メッセージが入れば、僕のポケベルが震動する。とりあえずポケベルが作動しない限り、僕は気持ちを落ちつけることができた。

そのバーから彼女の部屋に電話をすると、またトノムラの声が流れてきた。

「ワタシです。まだ帰ってないのか？　遅くなってもいいから電話を下さい。今日は本当に疲れたよ。君の声が聞きたいんだ」

からだ中の血液が沸騰するのを僕は感じた。何が「君の声が聞きたい」だ、助平野郎。僕は苛々《いらいら》しながらそのメッセージを消去した。

電話ブースから出て、僕は洗面所に寄ることにした。用をたして手を洗うと、目の前の鏡に僕の顔が映った。

ひどい顔だった。目の下には大きな隈《くま》があり、床屋にもずいぶん行っていないので、髪もくしゃくしゃだ。不精髭《ぶしょうひげ》がうっすら伸びて、目は血走っている。僕は呆然《ぼうぜん》とした。こんな男は、嫌われて当たり前だと思った。僕が女だったら、こんな奴《やつ》は真っ平だ。では何故《なぜ》、同じ課のあの子は僕なんかが好きなのだろう。僕はもう、まともではないのに。

いくら人を疑うことを知らない彼女でも、そろそろ誰かが故意に自分の家の留守番電話を聞き、そのメッセージを消していることに気がつくだろう。そして、誰かというのが、誰であるかということにも。

いっそのこと、本当に狂ってしまいたかった。こんなことで、僕は生きていけるのだろうか。こんな感情に、このまま耐えていくことができるのだろうか。

気がついたら、僕は洗面所を出て電話ブースに戻っていた。そして彼女の番号を押す。メッセージはさっき消したばかりだから、五回コール音が鳴った後、電話が繋《つな》がった。

「はい」

絶対に留守番電話だと思って、そしてありったけの悪口を吹き込んでやろうと思っていたので、突然彼女が電話に出たことに僕は死ぬほどびっくりした。

「もしもし？　トノムラ君？」

その一言で、プツリと何かが切れた。

「俺だよ、俺」

電話の向こうで、彼女がさっと緊張するのが手にとるように分かった。

「こんな遅くに何ですか？」

語尾まではきはきと発音する話し方は変わっていない。ああ、声を聞いたのは何カ月ぶりだろう。会いたくて、気が狂いそうだった。

「何でもするから、許してくれ」

　僕はそう言った。

「何言ってるの？　酔っぱらってるんでしょう」

「酔ってなんかない。頼む。お前のためなら何でもするから」

「もう切るわよ。帰って来たばっかりなんだから」

「頼むよ。話ぐらい聞いてくれ」

　彼女が電話の向こうで、少し黙り込む。僕は勢い込んで言った。

「お前はさっぱりした女だよ。竹を割ったような性格だよ。それに較べて俺は腐った納豆だ」

　彼女は答えない。

「お前はご立派な人間だよ」

「何が言いたいの？」

　僕は息を吸い込んだ。ものすごい怒りが僕を襲った。考えている間もなく、僕はもうその怒りに支配され、なす術がなかった。

「お綺麗《きれい》なこと言ってたって、結局あのトノムラって男と付き合ってるんじゃねえか。胸張って二股《ふたまた》かけて、いい根性してるよ」

「二股なんかかけてないわよ。馬鹿にしないでっ」

大きな声で彼女は言った。

「彼と付き合い始めたのは、あなたとちゃんと別れてからですからね」

「それがご立派だって言うんだよ。お前はひとつも間違ってないよ。でもお前みたいな鈍感で残酷な人間に俺は会ったことがないね」

「私のどこが」

「人には人の気持ちってもんがあんだよ。お前は結局自分さえよければいいんだ。好きになったから寄ってきて、嫌いになったら別れればいい。それのどこが悪い、と思ってるんだろう。俺と寝たあのベッドに、違う男を引きずり込んでも、まったく罪悪感なんてないんだろう」

「もう切るわよ」

彼女の声は、冷たく僕を遮った。

「聞けよ。今日はどうして帰りが遅くなったんだ？」

「そんなこと、あなたには関係ない」

「待ち合わせの店に、トノムラが来なかったからだ。そうだろう」

彼女の沈黙に、僕は大きく息を吐いた。

「せめて、疑ってくれよ。最近留守番電話がおかしいって」

彼女は本当に驚いたように「まさか」と呟《つぶや》いた。

「どうして疑ってくれないんだよ。そんなことする奴は俺ぐらいだろう。すぐ気がついて、さっさと暗証番号を変えてくれよ。俺のことをいくら傷つければ気が済むんだよ」

いつの間にか、頬《ほお》に冷たいものが伝っていた。ああ、俺は泣いているんだと、人ごとのように思った。

「最低」

彼女はそう言い捨てた。

「もう少しマシな人だと思ってた。そんなことするなんて、あなた恥ずかしくないの？頭がおかしいんじゃないの？」

「俺のことが好きだったんじゃないのか？」

「大嫌いよ。あんたなんかカケラも好きじゃない。二度と電話しないで」

乱暴に電話が切れる音がした。僕は静かに受話器を置いた。

「あの……」

振り返ると、紺のツーピースが僕の後ろに立っていた。

「あんまり遅かったから、具合でも悪いのかと思って」

僕は微笑んだ。君のことを好きになれたら、どんなに楽だろう。どんなに救われるだろう。

「何かあったんですか……?」

恐る恐るという感じで、その子が聞いてきた。僕は彼女のそばに立って、彼女の頭に手を置いた。

「僕は君が大嫌いだよ。カケラも好きじゃない。二度と僕を誘わないでくれ」

最初、彼女はきょとんと目を見開いた。自分が何を言われたのか、よく分からなかったのだろう。僕は微笑んで頷《うなず》いた。そのとたん、彼女の両目に涙の粒が膨らんだ。

パチンと頬を叩《たた》かれた。そして彼女は店を飛びだして行く。

「おい、割り勘だって言っただろう」

僕はそう呟いて笑ってみた。

こんな性格の僕は、嫌われて当たり前なのだ。

世界中の女に、僕は嫌われたかった。

第十話　水商売

新宿、というのは安直な気もしたが、あんまり考えすぎて北千住《きたせんじゅ》とかにするのも何かなと思った。

ゲイバーのメッカといえば、二丁目である。

私は何もゲイバーで働きたかったわけではない。やたら時給の高い〝皿洗い〟のバイトをアルバイト雑誌で見つけて応募したら、そこがゲイバーだっただけだ。

世間を知っている人ならば、店の名と住所でその手の店であることに気がついたのだろう。けれど私はキャバレーか何かだろうと思って面接に行った。ホステスになりたいのではなく皿を洗いたいのだと主張するために、私はわざと化粧もせず切ったばかりのぼさぼさ髪のまま出掛けたのだ。

それが功を奏した。社長とおぼしき女装の親父《おやじ》は、私が書いた嘘《うそ》八百の履歴書をぺらぺら振って言った。

もう少しババアがよかったんだけどね、でもま、あんた色気ないみたいだからいっか。

あら、あんた大学出てんの？　じゃ英語できる？　助かるわ。この前中国人の留学生の子をさ、情けをかけて雇っちゃったら言葉が通じないのよねえ。

それで採用である。私は夕方の六時から夜中の二時まで、その店で働くことになった。狭い調理場で働く人間は、私とその中国人の女の子と、料理を作る社長の弟の三人だ。社長の弟は極端に無口な中年男で、女装もしていないし、たまに発する言葉も女言葉ではない。だから彼がゲイとかホモとか、そういう種類の人間かどうかは私には分からない。

店が暇でオーダーが入らない時間があると、彼は競馬新聞を片手に厨房《ちゅうぼう》から出て行ってしまうので、そういう時私とチャイニーズ娘は少し話をする。

覚えたての日本語で、彼女はたどたどしく自分のことを話しだした。けれど何が何だか分からなかったので、英語で言ってくれと頼むと、彼女は嬉しそうに流暢《りゅうちょう》な英語を話しはじめた。私は慌ててゆっくり話してよと付け加えた。

彼女は北京から来た留学生で、コンピューターグラフィックを勉強しているのだと言った。数年前に北京で日本人のビジネスマンと知り合って恋に落ち、彼に会いたいがために日本にやって来た。その彼とは今同棲《どうせい》中だと彼女は言った。

何だか嘘くさかったが、疑っても仕方ないので私は適当に頷《うなず》いた。

あなたは？　と彼女は首を傾げて、私の顔を覗《のぞ》き込んだ。

日本語で話そうとすると、彼女が眉間《みけん》に皺《しわ》を寄せたので、私は苦心して英語で話を始めた。

東北にある小さな町で生まれ育ったのだが、幼なじみの女の子が東京にお嫁に行くことになり、その結婚式で上京した時、何となく田舎に帰りたくなくなってしまい、それから今までアルバイトをしながら東京に居続けているのだと私は話した。

私の英語がよく伝わらなかったのか、それとも同じように「嘘くさい話」と思ったのか、彼女もお義理のように頷いただけだった。

お互いの身の上を話した後、私と彼女が親しくなったかというと、そういうことはなかった。私達はほとんど口をきかずただ黙々と仕事をした。たまに言葉を交わしても、分からない日本語を彼女が二、三聞いてくるだけで、店が終わると彼女は逃げるように新宿の雑踏の中に消えていった。

彼女だけでなく、店で働くニューハーフ達も驚くほど淡白だった。

テレビなんかで見かけるニューハーフ達は、口数が多くてやたらテンションが高そうだったが、彼らは店ではきゃあきゃあ声を上げても、営業が終わると皆一様に無口になった。

閉店後、私とチャイニーズ娘が店内の掃除を始めると、彼らは話しかけてくることもある。けれどそれは、興味があって話しかけてくるわけではないのだ。ただそこに私がいるので、大変ねとか、細いわりにケツが大きいわねとか、ただ思ったままを投げやりに口に出すだけだ。

そして彼ら同士も、特に親しくしているわけではないようだ。表面上は仲よくやっていても、店が退《ひ》けるとすーっとそれぞれ一人で帰って行く。皆それぞれに何かしらの事情を抱え、だからこそ他人には踏み込まないのかもしれない。その礼儀正しさに私は驚きつつ、そして安堵《あんど》していた。

本物の女である私よりも、百倍も綺麗《きれい》な彼らの中に、一人だけ私の身の上を聞いた人がいた。

店での名前を「ミファさん」という人で、小柄でやたら肌の綺麗な人だ。

「あなた、何でこんな店で働いてんの？」

店の開店前、社長の弟が作ってくれた賄いの食事を調理場で食べていると、ふらっと現れたミファさんがそのハスキーな声で聞いたのだ。

「食事付きだし」

今まさにキムチ入りのいやにおいしいチャーハンを飲み込んだところだったので、私はそう答えた。

緋色《ひいろ》のドレスに身を包んだミファさんは、着古したトレーナーにぼろぼろのジーンズ、ゴムの長靴を履いて厨房の小さな椅子《いす》に座っている私を見下ろした。

「口紅、あげようか」

ミファさんはけだるくそう言った。私は憐《あわ》れまれていることを察して苦笑いをした。

「ありがとうございます。でも、つけないからいいんです」

「どうして、つけないの？」

「必要ないから」

それを聞いてミファさんは納得したように頷く。そして私の肩にそっと手を置いて、何も言わずに厨房を出て行った。

私は触れられた肩に自分の掌を置いてみた。私は奥歯を噛《か》みしめる。私はミファさんを警戒した。

優しくされるのは迷惑だった。一度そうされると期待してしまう。気弱になってしまう。それは命取りだった。


そのミファさんを外で見かけたのは、それから一カ月ほど後のことだった。

私は正午から夕方の四時まで、歌舞伎町《かぶきちょう》の中にある焼鳥屋で仕込みのバイトをしている。鶏肉やネギを串《くし》に刺す仕事だ。開店前の薄暗い焼鳥屋で、私は自分の母親ほどの年齢であろうおばさんと二人で、黙々と焼鳥の串を作る。

そのおばさんも店の人ではなくパートの人だ。最初の時、若いのに何でこんなバイトしてんの？　と彼女はぼそっと私に聞いた。私が「昼食付きだったから」と答えると、おばさんはつまらなそうに頷いた。それからおばさんとは、世間話さえしていない。

焼鳥屋でのバイトを終えると、私は歩いて十五分の所にあるアパートに急いで戻る。銭湯に行き、ついでに日用品の買い物も済ます。その時に、近所の小さなスーパーマーケットでミファさんを見かけたのだ。

ミファさんは、右手にスーパーのカゴを持ち、左手に五歳ぐらいの子供を連れていた。いつもの派手なドレス姿ではなく、ジーンズにジャンパーで、髪もひとつにまとめている。どこから見ても女性だった。店にいる時もどこから見ても女性なのだが、子供の手を握っている白い手は、母親のものにしか見えなかった。

私は棚の陰に隠れた。野菜やレトルト食品をカゴに入れて、ミファさんはレジに向かって行く。時折子供の顔を覗き込み、笑顔を作る。私はその背中をそっと見つめた。

ミファさんはレジの手前で、ふと立ち止まる。そして特売品の棚に手を伸ばし、それを自分のカゴに入れた。私は目を見張った。それは生理用ナプキンだった。

その日、ゲイバーに出勤すると、いつも私より早く来ているチャイニーズの女の子が来ていなかった。

だからといって、どうということもない。私は仕方なくいつもの倍の皿やグラスを洗った。忙しくはあったけれど、一人では無理という量でもなかった。

「悪いわね。なるべく早く新しい人雇うから」

帰り際に、オカマの社長が私に言った。私がきょとんとしていると、

「あら、あんたは見てなかったの？」

と社長は肩をすくめた。

「何のことですか」

「夕方さあ、突然ポリ公が押しかけて来てね、あの中国娘連れてっちゃったのよ」

私はびっくりして、化粧の濃い社長の顔を見た。

「……どうして？」

「どうせ不法滞在とか麻薬所持とか、そんなんでしょう。知らないわよ、あたしは」

「でも、留学生だって」

「そんなの嘘に決まってんじゃない」

当たり前だとばかりに、社長は言い捨てた。私はぎくしゃくと頷《うなず》く。

そうか、嘘か。私は妙に納得した。

私が持って来た履歴書など、最初から信用されていなかったのだ。だから私はここで働いていられるのだ。

お疲れさまでしたあ、と口々に言い、ニューハーフ達が帰って行く。ミファさんの笑った横顔が通用口の向こうに消えて行くのを、私は床を拭《ふ》くモップの手を止めて見送った。

もし、ミファさんがオカマではなく本物の女性であったところで、そんなことは大した

ことではないのかもしれない。

だから、予感はあった。

ミファさんに会ったのは、アパートの近所のスーパーだったし、彼（彼女？）の連れていた子供はまだ小さかった。

その無認可の保育園で、私とミファさんはばったり顔を合わせた。ミファさんの手にはあの時の子供が、私の手には私の息子が連れられていた。

さすがのミファさんも、目を丸くした。

「もしかして、あなたの子供？」

私は頷いた。

「何歳なの？」

「もうすぐ三つです」

私の息子はミファさんの子供を見ると、はにかんだ様子で手を振った。その子も嬉《うれ》しそうに手を振り返す。

「あら、子供同士は友達みたいね」

ミファさんは呆《あき》れたように言った。

今まで会わなかったのは、子供を預ける時間と引き取る時間が微妙に違ったからだろう。

その日、ミファさんは店に出る前に美容院に寄るとかで、いつもより早い時間に子供を預けに来たのだ。私も焼鳥屋のバイトに行かなくてはならなかったので、私達は缶コーヒーを買って街道沿いのガードレールに腰掛け、十五分ほど話をした。

「あなたに子供がいたなんて驚いたわ」

今日のミファさんは、いかにもニューハーフの人が着そうな原色のワンピースを着ている。口ぶりもどこかオカマっぽい。でも、この人は本当は女性なのだ。私はミファさんの細い足首を見てそう確信した。

「ミファさんだって」

私は笑った。

「どこから見ても、手術したオカマですよ」

「あーら、ありがとう」

わざとらしいオカマ口調で彼女は言った。

「男は騙《だま》せても、同性は騙せないわねえ」

ミファさんは缶コーヒーを飲みながら言う。

「店の人達は気がついてないんですか？」

「さあね。どうでもいいんじゃない」

ミファさんはけだるく髪を掻《か》きあげた。私達の前を長距離トラックが埃《ほこり》をたてて通り過ぎて行く。

「でも、考えましたね」

独り言のように私は言った。ゲイバーにオカマのふりで勤めるというのはうまい手だ。何かあったら私もどこかでそうして働こうかと思った。もしそうするのなら髪は伸ばしておかないとな、と私は半分真剣に考える。

「あんたも逃げてんの?」

おっとりとした口調で、ミファさんがそう聞いてきた。私は返答に詰まった。

「私はねえ、旦那《だんな》のこと包丁で刺しちゃったの」

「……え?」

「それで息子連れて、逃げてるわけ。もう二年になるかなあ」

ミファさんは、にっこりと笑った。

「最初はびくびくして暮らしてたけど、意外と見つからないものなのよね。それともある日突然、あの中国人の子みたいに捕まっちゃうのかしら」

私はぽかんと口を開けた。ミファさんは「さあて」と呟《つぶや》くと、ガードレールから腰を上げてスカートの埃を払った。

じゃあお店でね、と言い残して、ミファさんは通りかかったタクシーを停め、あっという間に去って行ってしまった。

彼女は私のことは、何ひとつ聞かなかった。私はミファさんに自分のことも話すべきなのだろうか。

彼女の言うとおり、私は逃げている。

しかしミファさんのような、ハードボイルドな話ではない。ただ単に、私は息子と共に家出をしただけだ。東北から友人の結婚式で上京したというのは、もちろん嘘の身の上話だ。

私は四年前にごく普通の結婚をして、ごく普通に子供を産んだ。特別幸福なわけではなかったけれど、特別不幸なわけでもなかった。

少し普通と違っていたことがあったとすれば、夫の家が結構大きな旧家であったことだ。私は知らなかったのだが、結婚する前、私の身元は徹底的に洗われたそうだ。私の実家は郷里ではまあまあ大きいほうで、親兄弟も親戚《しんせき》も皆わりと堅い職に就いている。だから私は、何の問題もなくすんなりと夫と結婚することができたのだ。

私は東京の女子大の英文科を出て、中堅の貿易会社に就職した。輸入を扱っている会社ではあったけれど、私の仕事は簡単な事務で、学校で習った英語を生かす機会はなかった。けれど、私は自分の毎日に特に疑問を持っていなかった。不満も野望もなかった。普通程度のお給料をもらって、一人で小綺麗《こぎれい》な部屋に暮らし、時々女子大時代の友人と遊んだり、男の人にデートに誘われたりした。それで満足だった。このまま いずれ誰か適当な男の人と結婚し、平凡でもゆったりと楽しい人生を送るのだと思っていた。

そして、知人を通して知り合った男性にプロポーズされ、結婚した。両親は玉の輿《こし》だと喜んでいたが、私は相手の家が立派な家だということに、特に感慨はなかった。

郊外にある、敷地だけは大きな家だったので、私と夫は同じ敷地内に家を建ててもらって住むことになった。少しは気は遣ったけれど、本家の料理や掃除はお手伝いさんがやっていたので、子供ができるまでの毎日は比較的穏やかに過ぎて行った。

問題はどこにもないように見えた。しかしそれは、息子が産まれた日から突然私の目の前に現れた。

私が産んだのは、私の息子ではなく、家の跡取りだった。息子は私のものでなく、家のものだった。旧家ではあるが、それほど金持ちであるわけでもないのに乳母《うば》が雇われ、私は姑《しゅうとめ》にこれからの方針を聞かされて仰天した。息子が一歳になったら、すぐさま幼児教育を始め、家の者が代々出ている学校に幼稚園から入り、そして将来的にこの家を守っていくのだと聞かされた。そして私の夫も、そのように育てられたのだと私は初めて知った。

今時、時代錯誤も甚《はなは》だしい。

思ったまま、私はそう夫に伝えた。しかし夫は「別に悪いことじゃないじゃないか」と簡単に言った。

確かにそのとおりだった。悪くはない。夫はそういうふうに育てられても、別に不幸ではない。それどころか地味ながらも結構幸せに暮らしている。考えてみれば、姑も舅《しゅうと》も私達よりずっと早く死ぬのだ。その後は私と夫が家の主となる。そうなった時に、自分達の好きに家の方針を変えればいいのだ。

そう考える反面、私は何故《なぜ》だか猛烈に腹がたったのだ。

自分でも驚いた。何に対して自分がこんなにも怒りを感じているのか、何故その感情を抑えることができないのか、まるで分からなかった。

好きだったはずの夫が、急に醜悪なものに見えた。その穏やかな性格は、赤ん坊の頃から〝反抗できないように育てられた〟からだと思えて仕方なかった。

それでも私はまる二年我慢した。けれどそれが限界だった。お手伝いさんや子供の家庭教師に払うお金のために、大人は貧しい食事をした。そのくせ姑は私の顔を見る度に、もう一人男の子を産めと命令した。

ある日、私はぷっつり何かが切れたように、息子を連れて家を出た。夫の口座からありったけのお金を引き出し、置き手紙さえ書かずに私は家山をした。

正直なことを言うと、私は自分の家出がそう長くは続かないのではないかと、心の底で思っていた。きっとすぐに連れ戻される。息子はあの家の跡取りとして取り上げられ、私はゴミを捨てるように離縁されるのだろうなとぼんやり思っていた。

ところが、もうまる一年、私はこうして見つからずに暮らしている。

今なら私には分かる。あの時、何に対して私はあれほど腹を立てたのか。

私は自分自身に対して、怒りを感じていたのだ。

夫だけではない。私自身も大事にされ甘やかされて育ち、自覚のないうちに他人の価値観を刷り込まれてきたのだ。そのことに気づかず生きてしまった自分に対して私は腹をたてたのだ。

しかし、私は狭い調理場で皿を洗いながら思う。焼鳥の串を作りながら思う。私はものすごく馬鹿なことをしているのだと。

例えば先月、息子が夜中に原因不明の熱を出した。健康保険証のない私は、息子を医者に連れて行こうかどうしようか朝まで悩んだ。朝になってやっと、私は熱と下痢が治まらない息子を病院に連れて行く決心をした。息子は食当たりを起こしていた。何故もっと早く連れて来なかったのかと医者は私を責めた。当然私は自己負担で高い診療費を払った。今回はそれで済んだけれど、この先大きな病気や怪我《けが》をしたらと思うと心底恐《こわ》くなった。

それだけではない。私達は住民票さえも持っていないのだ。将来、それで学校に入れるのだろうか。もし入れたとしても、その先は？　戸籍がなければ運転免許証もパスポートも取れないのだ。

このままずっと、逃げ続けることはできないのだろうか。

「ねぇえ、お水くれる？」

声を掛けられて、私ははっと我に返った。振り向くとニューハーフの一人が、だるそうに後ろに立っていた。私はコップに水をくんで彼に渡した。

「あー、忙しくてやんなっちゃう。頭痛いのに」

彼はコップの水を一気に飲み干すと、大きな溜《た》め息をついた。鰓《えら》の張った男顔のその人は疲れた声を出した。

「……体調悪いんですか？」

「うん、まあねえ。あたし昼間も働いてるからさ」

「あ、そうなんですか」

「手術のお金が溜まったら、昼間の仕事は辞めようと思ってるんだけどね。いっしょに住んでる彼氏がさ、金遣いが荒いのよ」

半分惚気《のろけ》て彼は言った。私は黙って皿洗いを再開する。

「早く手術したいなあ。そうすっと、やっぱり綺麗になるしさあ。ミファなんか肌、つやつやだもんね」

煙草に火を点《つ》け、独り言のように彼は言った。私は皿を洗う手を止める。

「……ミファさんって、手術してるんですか」

即答されて私は絶句する。思わず「でも」と口の中で呟《つぶや》いた。すると彼が突然笑いだした。

「そうよ。去年かな」

「あー、あんたもしかして、ミファに騙《だま》されたでしょう。あの、私は夫を刺し殺して逃げてるってやつ」

私は目を見張った。

「なんて顔してんの。嘘に決まってんじゃない。新しい子が入ると、ミファって必ずそうやって意地悪すんのよねえ」

「……嘘なの?」

「あんたねー、もしその話が本当なら、言い触らすわけないじゃない。ばっかねえ」

けたけた笑って、彼はフロアーに戻って行った。私はゴム手袋をはめた両手をじっと見下ろした。

ミファさんの話は全部嘘なのだろうか。でもそうしたら、あの子供は何だろう。特売で買った生理用品は何だろう。

そこまで考えて、私は小さく吹き出す。そんなことは、どうでもいいことなのだ。騙されているのは私ではなく、店のニューハーフ達かもしれないではないか。

真実など、何の役にたつだろう。

生活は、ただここに毎日あるだけなのに。

ミファさんも私も、そしてこの街の人々は皆何かから逃げている。抗《あらが》うことのできない何か大きいものから、声を潜めひっそり隠れて暮らしている。

私は洗剤のついた手袋を洗い、調理場の煤《すす》けた天井を見上げた。痺《しび》れた腰をさすり、私は大きなあくびをした。

生きてるなあ。私はそう思った。

それは奇跡に近い。私は生きている。保険証も戸籍も家もなく。

生きることに、幸福も不幸もない。それはただ逃げ続けるだけだ。私達を押し潰《つぶ》す、何かとても大きなものから。

あとがき

作家になりたい、と初めて思ったのは二十四歳の冬だった。

そして私が最初にしたことは、原稿用紙を買うことでも作品のアイディアを練ることでもなかった。まず私はペンネームを考えたのだ。

まだ一行も書いてはいなかったので、自分の実力というものが分かっていなかった。だから夢だけは馬鹿みたいに広がった。作家になるということは、名前がマスコミに出るということだ。ということは……。

悪いことができなくなる。本名はまずい。

咄嗟《とっさ》に思ったことは、そんなことだった。

当時私は単なる会社員で、地味に淡々と日々を暮らしていたように思う。二十四歳ＯＬ、普通自動車免許取得、賞罰なし、趣味は読書と買い物というところだ。特筆すべき悪事は働いていないし、これからも働く予定はなかった。

けれど、私は自分に自信がなかった。

私のような人間が偉そうにものを書いていいのだろうかと、ふと不安になった。

私は子供の頃、万引きをしたことがある。フルーツの匂いが付いた消しゴムを文房具屋から黙って持って来たのだ。それは店の人にも親にも見つからなかった。だから私は大した罪の意識もなく、長い間そのことを忘れていた。

そして私はキセルをしたことがある。人に物を借りてそのまま返さなかったこともある。人の気持ちを踏みにじったこともある。母親の財布から千円札を失敬したこともあるし、猫は殺さないけれどゴキブリならひと夏に三匹は殺している。

いつかもっと重大な犯罪を犯すかもしれない。笑い事ではない。精神状態が悪く、きっかけさえあれば、いともあっさり法に触れることをしでかすかもしれないのだ。それが「軽犯罪」という枠に収まりきれるかどうかさえあやしい。

罪という名の地雷は、いたる所に埋まっている。今まで踏みつけなかったのは、ただ運が良かっただけだ。幸運がいつまで続くかは誰にも分からない。あるいはわざと地雷を掘り出し、踏みつけることもあるかもしれない。

だいたい法律があるということは、踏んでしまう人が沢山いるからなのだろう。

しかし、自分がやったことは必ず自分に返ってくる。

だから私は、幸運にも物書きになることができたが、あいかわらず地味に淡々と日々を送っている。三歩先に埋まっているかもしれない、大きな地雷に怯えながら。

山本文緒

解説

松本侑子

山本文緒さんの小説集『ブラック・ティー』を読んで、胸がちくりと痛かった。苦い気持ちにもなった。そしてこれからも私は罪なことをして生きていくのだろう、そんな自分に後悔しても、やっぱり何かをしてしまうだろうと思った。

これは罪をテーマにした本だ。

罪といっても、殺人、強盗、脅迫といった大罪ではない。ふとしたはずみで誰でもしてしまう小さな罪、不道徳な行いが、さりげなく、しかし印象的に描かれている。

だから読んでいると、過去におかした過ちや噓《うそ》が思い返された。日頃は忘れようとして葬り去ってきたかつての自分の愚かさが、記憶の遠い底からゆらゆらと浮かび上がってきた。と同時に、私の周りにいるいいかげんで迷惑な人たちのことも非難がましく思い返された。自分を棚に上げていることに気づいて、あとで苦笑いもした。

これは平静では読めない刺激的な小説集なのだ。誰もがはっとして胸に手を当ててしまうだろう。

たとえば、表題作の「ブラック・ティー」。

これは、電車の網棚に忘れられた荷物を置き引きして、その財布から金を盗んで生きている女の子の話だ。この行為そのものは立派な窃盗だけれど、普通に働いて生きることに疲れて、まっとうな暮らしから逸脱して都会の隅で目立たないように一人で生きている孤独な女の子の雰囲気がよく伝わってくる。置き引きをするかしないかは別として、彼女のように世の中からはぐれてしまった気がして自棄《やけ》になることは誰にでもあることで、そうした些細《ささい》な心の落とし穴に墜ちてしまうと、自分でもわりのわからないうちに人は法に触れる罪を犯したり、人を傷つけたりするかもしれない。そうした人のあやうさ、もろさが感じられたし、それを自分も抱えているかもしれないと思い当たり、しんみりした。

最後に、置き引きが見つかって彼女が動揺する場面では、私もうろたえた。ちょっとした嘘や不道徳なふるまいがばれてしまったときの身の置き所のなさ、ばつの悪さ、顔の青ざめる思い、どう取り繕おうかと慌ただしく思考をめぐらす時の焦りまでが、ありありと思い出されたからだ。この話は、出だしの展開も絶妙で、うーんと唸《うな》りつつ読んだ。

さて、読者の中には、この第一話を読んで、「私は絶対に置き引きなんかしない、こんな女の子とは違う、真面目《まじめ》一筋で生きている！」と思う人もおられるかもしれない。そんな方々には、第二話の「百年の恋」が用意されている。

この話では、几帳面《きちようめん》で真面目できれい好きな女の子が出てくる。彼女は、一緒に暮らしている男のだらしなさが気になってしようがない。男の不真面目さ、無駄遣い、パチンコ、酒好き、女好き、立ちションを非難する。しかしそんな彼女も、出来心でキセルをしていたのだ。

どんなに真面目な人でも、人の知らないところでは決して褒められない小さな悪を働いている。それが、うまい小説に創《つく》られている。最後に出てくる一節「人間は純真でもなく、賢くもなく、善良でもない。」が、ずしんと来るではないか。

しかし、それでもまだ納得できない読者もおられるかもしれない。

「私はキセルもしないし、これは自分とは無縁の話だ」という読者には、第三話の「寿」を読めば、何かしら思い当たる節はあるでしょう。

独身時代、何人かの男とつきあっておきながら、いざ結婚となると、ちゃっかりと玉の輿《こし》を狙《ねら》って清純を装い、結婚式では、過去の恋はきれいさっぱり忘れて純白のドレスに身を包み、堂々としている花嫁さん……。

といっても、この花嫁はことさらに尻軽な女ではない。派手なプレイボーイに惚《ほ》れてしまい、遊ばれて簡単に捨てられた……、若い女の子にはありがちなことだ。その失恋の寂しさを忘れるために、つい、手近にいた都合のいい優しい男とつきあってしまう。これもまた珍しいことではない。

だから、彼女は特別に男好きなのではない。人は、寂しがり屋で弱くて、しかし同じ人が結婚となると打算も働いて、いざとなるとしたたかで、そんな二面性を誰もが持っていることを、作者は、こんなことってあるある、と納得させる設定で書いている。別に花嫁に限らず、花婿だって結婚前の恋なんて親にも新婦にも知らせずに、すました顔で燕尾服《えんびふく》を着ているかもしれないから、男も女も同じ穴のむじななのだ。

この話の面白いところは、玉の輿にのった花嫁をねたむ女友達が登場するところだ。この女友達も、花嫁と同じように、ちょっと「軽い」女だったのに、そして彼女もまた自分が結婚する時には同じように清純派ブリッ子をするであろうに、要領よく結婚した女友達を妬《ねた》んで意地悪をする。結局、人は自分の不道徳や悪行は棚にあげて、人のアラばかり目について非難したり妬んだりしがちだと、作者はさりげなく書いている。

こうした調子で、一作一作と読み進むうちに、自分の中に潜んでいる罪深さが呼び起こされていき、冷や汗をかいてしまった。

ほかにも印象的な作品は続いていて、第六話の「誘拐犯」などは、読後がしみじみと切ない。

人は必ずしも意図して罪をおこなうのでなく、不注意から取り返しのつかない失敗をしてしまうことだってある。そんな運の悪いときの非力さが描かれている。

たとえば主人公の少年は、さらってきた子猫を殺すつもりではなかったのに、むしろよかれと思ってしたことなのに、うっかり死なせてしまった。それで周り中に迷惑をかけ、騒ぎを大きくする。

こうしたときの苦い後悔は、誰しも覚えがあるだろう。取り返しがつかないミスをしでかしたときの嘆き、呻《うめ》きたいような悔恨と自己嫌悪、後味の悪さもまた、罪につきまとうやるせない感情なのだ。

第八話の「ニワトリ」は、ちょっと悲しくて、ちょっと微笑《ほほえ》ましい。

悪気はないのに約束を破ったり、借りたものを返し忘れたり、人の大事な話を聞いていなかったり、そうやって人を傷つけたことすらも忘れてしまい、周囲の信頼を少しずつ失っていく暢気《のんき》で、愛すべき人の話だ。コッコッコッ、と三歩歩けばみんな忘れてしまうニワトリのように、自分の過ちも恥も簡単に忘れてしまう人は、可愛くもあり、ある意味では、周りの好意に甘えた稚《おさな》さというか驕慢《きょうまん》さがあるのだが、そんな人でも、最後には家族や恋人に許され、受け入れられ、愛される。

つまり、小さな過ちを抱えたもの同士が馴《な》れ合って妥協し、けろけろして生きているのが現実であり、そうした狡《ずる》さ、しぶとさ、人という生きもののいい加減さについても、作者は、上手に読ませるのだ。

第九話の「留守番電話」もすごい。男が、ふられた元恋人の留守番電話を盗聴して、新しい恋の邪魔をする。これはやりすぎだとは思うけれど、好きな人の私生活を知りたいという欲求は誰にでもあって、恋人の手帳や手紙のラックなどをわざわざ覗《のぞ》き見ては、妄想と嫉妬《しっと》に身を焦がし、自分で勝手に傷ついておきながら、相手を非難するような馬鹿げたふるまいに出ることは、よくある。男は、電話の盗聴なんていうひどいことをして嫌われるのは当然だと思いながら、それでも止められない。そうした男が、次第に愛《いと》しくなる。おしまいの第十話の「水商売」となると、ぐっと話は突き抜けていて、別世界まで飛んでいる。

子どもをつれて家出した女が、水商売の下働きをしながら、本名を捨て、過去も捨て、住民票も保険証も持たないで漂うように生きていく。そこにはもう罪とか罰とかいう人間が決めた堅い枠組みはなくて、社会の決まりや道徳そのものから離れたところで、女はただ、けものが棲息《せいそく》するように雑踏にまぎれてひっそりと生きている。国家が恣意《しい》的に作り上げた法律の罪、宗教が人を縛り支配するために作った不道徳な罪などというもののある種の欺瞞《ぎまん》、嘘臭さ、そうした枠組みに囚《とら》われて自分を責めたり苦しんだりする人の弱さをも感じさせる。つまりこの女は、そうした規範すべてとは別の価値観の世界で淡く生きているのだ。こんな作品で終わっていて、最後でも私はまたまた唸りつつ息をのんだのだった。

罪は罪であるが、罪はまた価値基準や法律が違えば罪ではない。と同時に自分が後ろめたいことはすべて罪でもある。そのはざまで人と人は生きている。

作者はいろいろな小説を発表している人だけに、書き慣れたシンプルな文章で、こうした深いところに澱《よど》んでいる暗い世界を示し出す。けれど人の罪を糾弾しない、非難もしない、ただあるがままに淡々と描きながら、計り知れない心の奥までぐさりと切り込んで見せる。そして後に残るのは、小さな嘘や取り繕いや不道徳にまみれて生きていく人の哀しさと可愛さであり、もしかすると、ひょっとしたはずみで大罪を犯してしまうかもしれない私たちの不確かさなのである。

本書は平成七年三月小社より刊行された単行本を文庫化したものです。（編集部）

ブラック・ティー

山本文緒《やまもとふみお》

角川文庫　10565

平成九年十二月二十五日　初版発行
平成十三年三月五日　十七版発行

発行者——角川歴彦
発行所——株式会社角川書店
東京都千代田区富士見二—十三—三
電話　編集部(〇三)三二三八—八五五五
　　　営業部(〇三)三二三八—八五二一
〒一〇二—八一七七
振替〇〇一三〇—九—一九五二〇八

印刷所——図書印刷　製本所——本間製本

装幀者——杉浦康平

や 28-4　ISBN4-04-197004-0 C0193

角川文庫発刊に際して

角川源義

第二次世界大戦の敗北は、軍事力の敗北であった以上に、私たちの若い文化力の敗退であった。私たちの文化が戦争に対して如何に無力であり、単なるあだ花に過ぎなかったかを、私たちは身を以て体験し痛感した。西洋近代文化の摂取にとって、明治以後八十年の歳月は決して短かすぎたとは言えない。にもかかわらず、近代文化の伝統を確立し、自由な批判と柔軟な良識に富む文化層として自らを形成することに私たちは失敗して来た。そしてこれは、各層への文化の普及滲透を任務とする出版人の責任でもあった。

一九四五年以来、私たちは再び振出しに戻り、第一歩から踏み出すことを余儀なくされた。これは大きな不幸ではあるが、反面、これまでの混沌・未熟・歪曲の中にあった我が国の文化に秩序と確たる基礎を齎らすためには絶好の機会でもある。角川書店は、このような祖国の文化的危機にあたり、微力をも顧みず再建の礎石たるべき抱負と決意とをもって出発したが、ここに創立以来の念願を果すべく角川文庫を発刊する。これまで刊行されたあらゆる全集叢書文庫類の長所と短所とを検討し、古今東西の不朽の典籍を、良心的編集のもとに、廉価に、そして書架にふさわしい美本として、多くのひとびとに提供しようとする。しかし私たちは徒らに百科全書的な知識のジレッタントを作ることを目的とせず、あくまで祖国の文化に秩序と再建への道を示し、この文庫を角川書店の栄ある事業として、今後永久に継続発展せしめ、学芸と教養との殿堂として大成せんことを期したい。多くの読書子の愛情ある忠言と支持とによって、この希望と抱負とを完遂せしめられんことを願う。

一九四九年五月三日

角川文庫ベストセラー

盲目のピアニスト　内田康夫
突然失明した天才ピアニストとして期待される輝美。ところが彼女の周りで次々と人が殺されていく。人の虚実を鮮やかに描く短編集。

追分殺人事件　内田康夫
ふたつの「追分」で発生した怪事件。信濃のコロンボこと竹村警部と警視庁の切れ者岡部警部が大いなる謎を追う！　本格推理小説。

三州吉良殺人事件　内田康夫
浅見光彦は、母雪江に三州への旅のお供を命じられた。ところが、その地で殺人の嫌疑をかけられてしまう。浅見母子が活躍する旅情ミステリー。

薔薇の殺人　内田康夫
「宝塚」出身の女優と人気俳優との秘めやかな愛の結晶だった女子高生が殺された。浅見光彦は悲劇の真相を追い、乙女の都「宝塚」へ向かうが。

日蓮伝説殺人事件(上)(下)　内田康夫
美人宝石デザイナー殺人事件に絡む日蓮聖人生誕の謎とは⁉　名探偵浅見光彦さえも驚愕に追い込む真相！　伝説シリーズ超大作‼

軽井沢の霧のなかで　内田康夫
何気ない日常のなかに潜む愛と狂気――。四人の女性が避暑地・軽井沢で体験する事件の真相は⁉　危険なロマネスク・ミステリー。

歌枕殺人事件　内田康夫
歌枕にまつわるふたつの難事件。唯一の手がかりは被害者が手帳に書き残した歌。古歌に封印された謎に名探偵浅見光彦が挑む！　旅情ミステリー。

角川文庫ベストセラー

角川文庫ベストセラー

ぼくらの魔女戦記
黒衣の女王
宗　田　理

フィレンツェには今も本物の魔女がいる！　イタリアで行方不明になった日比野を捜しに、日本からぼくらの仲間がやって来た。第二部。

2年A組探偵局
殺しの交換日記
宗　田　理

貢が拾った中学生の交換日記には、イジメの大ボスを殺すと記されていた。2Aのメンバーは日記の持ち主と狙われている中学生を懸命に捜すが…。

巡検使カルナー　デトル編II
水神《デトル》の都
〈風の大陸・銀の時代〉
竹　河　聖

王女ラセマを救出し、逃避行を続けるカルナーたち。彼らは果たして危難《クーリニル》の王国を救えるか!?　ファン待望の水神《デトル》シリーズ第二弾！

巡検使カルナー　デトル編III
水神《デトル》の娘
〈風の大陸・銀の時代〉
竹　河　聖

宰相の元へ王女を送り届けたのも束の間、引き替えにカルナーが囚われの身に。新女王の即位を阻む敵と最後の対決、デトル編完結！

REI
新世紀エヴァンゲリオン
文庫写真集
文＝林原めぐみ
GAINAX＝監修

レイの魅力に迫る文庫写真詩集！　役を演じた声優がキャラクターに完全シンクロして白ら書き下ろした詩とともに見る名シーンで、

ASUKA
新世紀エヴァンゲリオン
文庫写真集
文＝宮村優子
GAINAX＝監修

ヒロイン・アスカに、役を演じた声優が完全シンクロして書き下ろした詩で、キャラクターの魅力に内面からも迫る文庫写真詩集！

東京住所不定〈完全版〉
三代目魚武濱田成夫

吉祥寺、要町、北青山、新高円寺……etc.　十三か月に十三回、東京を移りまくった前代未聞のスーパー引っ越しエッセイ！

角川文庫ベストセラー

角川文庫ベストセラー

角川文庫ベストセラー

ひとひらの雪(上)(下)　渡辺淳一
妻子ある建築家・伊織は、部下の若い女性を愛しながら、美しい人妻・霞にも惹かれていく……。愛のはかなさを描く、渡辺文学の代表作。

旅人よ！　五木寛之
NY、斑鳩の里、中国へ、様々な人と旅の風景を経て、作家は「倶会一処」の思想にたどり着く。ユーモアと思索にみちた珠玉の一冊。

海の短篇集　原田宗典
人間の欲を恐怖とともに綴った「黒魔術」をはじめ、未知なるものへの憧憬を描いた「中には何が」等、人間の深層を綴った掌編集。

フィジーの小人　村上龍
南海の小島で観光客相手に芸を見せるワヌーバが、果てしない快楽を求めて旅立つとき――。異色のスピリチュアル・アドベンチャー。

生かされて、生きる　平山郁夫
日本画壇の巨匠・平山郁夫が、迷い、悩み抜いた末に掴んだ「自分の型」。その道のりを肉声を通して生き生きと伝える、珠玉の人生論！

死体は生きている　上野正彦
「わたしは、本当は殺されたのだ!!」死者の語る真実の言葉を聞いて三十四年。元東京都監察医務院長が明かす衝撃のノンフィクション。

死ぬまでになすべきこと　式田和子
死ぬまでに何をしますか？　健康、年金、遺言、献体……。長寿社会を誰にも〝頼らずに生き抜く〟ための知恵を満載した、衝撃の実用エッセイ！

角川文庫ベストセラー